A1+A2 Övningsbok

Paula Levy Scherrer • Karl Lindemalm

Natur & Kultur

NATUR & KULTUR

Box 27323, 102 54 Stockholm
Kundservice: Tel 08-453 87 00, kundservice@nok.se
Redaktion: Tel 08-453 86 00, info@nok.se
www.nok.se

Order och distribution: Förlagssystem
Box 30195, 104 25 Stockholm
Tel 08-657 95 00, order@forlagssystem.se
www.fsbutiken.se

Projektledare: Karin Lindberg
Textredaktör: Caroline Croona
Bildredaktör: Caroline Croona
Grafisk form: Cristina Jäderberg
Omslag: Carina Länk
Illustrationer: Eva Thimgren

Förlaget Natur & Kultur är en stiftelse som utan ägare kan agera
självständigt och långsiktigt. Vårt mål är att genom stöd, inspiration,
utbildning och bildning verka för tolerans, humanism och demokrati.

© 2014 Paula Levy Scherrer, Karl Lindemalm och Natur & Kultur, Stockholm
Tryckt i Polen 2016
Andra upplagans fjärde tryckning
ISBN 978-91-27-43421-9

FSC
MIX
Papper
FSC® C015559

Innehåll

1 Dialog

 Sortera dialogen.

> ²Juan. Kommer du från Sverige?
> ⁶Spanska, svenska, engelska och lite franska.
> ³Ja. Och du då?
> ⁵Jaha. Vad talar du för språk?
> ¹Hej! Jag heter Pia. Vad heter du?
> ⁴Jag kommer från Argentina.

Exempel:

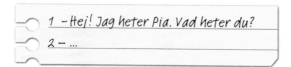

1 – Hej! Jag heter Pia. Vad heter du?
2 – ...

2 Ordföljd: verbets position

1	2	3
Varifrån	kommer	du?
Vad	talar	du för språk?
Jag	heter	Patricia.
Daniel	heter	jag.
–	Kommer	du från Spanien?

Fråga med frågeord: verb på 2:a plats
Påstående: verb på 2:a plats
Ja/nej-fråga: verbet först

A Sortera frågorna.

Exempel:

du ryska talar ?	_Talar du ryska?_

1	från Göteborg Christina kommer ?	4	du japanska pratar ?
2	Cheng varifrån kommer ?	5	språk för du vad talar ?
3	Gotland ligger var ?	6	förstår svenska Adam ?

B Sortera meningarna.

Exempel:

kommer Italien från Gianna .	_Gianna kommer från Italien._

1	från Nellie kommer Rumänien .	3	talar Petra pyttelite kinesiska .
	3 1 2 4		2 1 3 4
2	lite Anders swahili förstår .	4	Norge Oslo i ligger .
	3 1 4 2		4 1 3 2

3 Frågeord

A Vilket frågeord passar?

> Vad   Varifrån   Var

1 _____ heter du?

2 _____ kommer du?

3 _____ talar du för språk?

4 _____ ligger Umeå?

B Svara på frågorna i A.

Kopiering av detta engångsmaterial är förbjuden enligt lag och gällande avtal.

KAPITEL 1 · 7

4 Pronomen: han/hon

Daniel kommer från Australien. Han pratar engelska.
Gabi kommer från Tyskland. Hon pratar pyttelite italienska.

Han = ♂
Hon = ♀

Skriv *han* eller *hon*.

1 Elizabeth kommer från Skottland. _Hon_ talar bra svenska.

2 _Han_ heter Brian.

3 Gabriella talar bara lite svenska. _Hon_ kommer från Ungern.

4 Peter talar svenska och engelska. _Han_ kommer från Sverige.

5 _Hon_ heter Carla.

5 Ordföljd: verb + inte

1	2	3	4
Jag	arbetar	inte	här.
Jag	jobbar	inte	nu.

Inte kommer efter verb.
Jag ~~inte arbetar~~ här.

Skriv egna exempel med *inte*.
Exempel:

Bengt är ~~läkare~~ → lärare

Bengt är inte läkare. Han är lärare.

1 Henrik arbetar i ~~Stockholm~~ → Malmö

2 Anna talar ~~franska~~ → spanska

3 Elena kommer från ~~Colombia~~ → Peru

4 Magnus studerar ~~matematik~~ → biologi

5 Hon heter ~~Pia~~ → Petra

6 George ~~arbetar~~ → pluggar juridik

7 Eva jobbar med ~~ekonomi~~ → IT

6 Prepositioner

Skriv rätt preposition.

1 Jag kommer _____ Japan.

2 Arbetar du här _____ Sverige?

3 Vad talar du _____ språk?

4 Jag jobbar _____ barn.

5 Jag studerar _____ tandläkare.

6 Tom arbetar _____ ett IT-företag.

7 Verb: presens

Jag heter Steven.
Jag kommer från England.

Presens: NU eller GENERELLT.
Verb i presens har -r

A Skriv ett verb. Du kan använda samma verb flera gånger.

| kommer | har | pratar | pluggar |
| jobbar | bor | heter | är |

Jag _____ Oscar och jag _____ från Stockholm.
 1   2

Jag _____ läkare och _____ på Karolinska sjukhuset.
 3   4

Jag _____ svenska, engelska och lite italienska.
 5

Jag _____ inte gift, men jag _____ en flickvän, Pernilla.
 6   7

Vi _____ inte ihop. Pernilla _____ ryska på universitetet.
 8   9

B Skriv egna exempel med verben i A.

Jag _____

Jag _____

Jag _____

Vi _____

8 Land och språk

A Vad talar man för språk i länderna? Använd ordbok eller sök på internet.
Exempel:

Sverige   _svenska_

1	USA	_(engelska)_	10	Irak
2	Frankrike		11	Venezuela
3	Japan	_japanska_	12	Polen
4	Italien	_italienska_	13	Ungern
5	Thailand	_thailändska_	14	Portugal
6	Tjeckien	_Tjeck_	15	Nederländerna
7	Ryssland	_ryska_	16	Bulgarien
8	Grekland		17	Estland
9	Tyskland		18	Iran

 B Skriv fler länder och språk.

Repetera

9 Ställa frågor

A Skriv frågor till svaren.

Exempel:

Vad heter du?

Anna.

1 _Var kö___ ___ __ ___ du_

Från Tyskland.

2 _____

Tyska, engelska och lite svenska.

3 _Al __ _____

Nej, men jag har en pojkvän, Anders.

4 _____ __ _____?

Han kommer från Sverige.

5 _Arbeta___ __ _____

Nej, jag studerar engelska på universitetet.

B Ändra till frågor.
Exempel:

Patrik arbetar. → ⟲ _Arbetar Patrik?_

1 Linda bor i Malmö.
2 Felipe är gift.
3 Alex pluggar på universitetet.
4 Katrin jobbar på ett IT-företag.
5 Angela pratar kinesiska.

10 Pronomen

Välj rätt alternativ.

1 Tom arbetar med IT.
   - ☑ Han är programmerare.
   - ☐ Hon är programmerare.

2 Olga kommer från Ryssland.
   - ☐ Han talar ryska och engelska.
   - ☑ Hon talar ryska och engelska.

3 Sofia pratar inte svenska.
   - ☐ Han pratar bara italienska.
   - ☐ Hon pratar bara italienska.

4 Klaus talar tyska, engelska och svenska.
   - ☐ Han är från Tyskland.
   - ☐ Hon är från Tyskland.

11 Verb i presens

Välj rätt alternativ.

1 ☑ Alicia kommer från Italien.
   ☐ Alicia bor från Italien.

2 ☐ Alicia kommer i Umeå nu.
   ☐ Alicia bor i Umeå nu.

3 ☐ Umeå är i norra Sverige.
   ☑ Umeå ligger i norra Sverige.

4 ☐ Alicia pluggar läkare.
   ☐ Alicia är läkare.

5 ☐ Alicia har en svensk pojkvän, Magnus.
   ☐ Alicia är en svensk pojkvän, Magnus.

6 ☐ Magnus jobbar till lärare.
   ☐ Magnus pluggar till lärare.

12 Ordföljd

Sortera orden.

jag/heter	1 Annika _____.
lite/talar/ franska	2 Olof _____.
jobb/en bank/ söker/på	3 Enrique _____.
inte/just nu/ jobbar	4 Emma _____.
ihop/inte/bor	5 Daniela och Jens _____.

2

1 Dialog

Sortera dialogerna.
Exempel:

> – Bara bra.
> – Bra, tack. Och du?
> – Hur mår du?

> – Hur mår du?
> – Bra tack. Och du?
> – Bara bra.

1
> – Bara bra, tack. Hur står det till själv?
> – Jo tack, ganska bra.
> – Hur står det till?

3
> – Det är lugnt. Du då?
> – Så där.
> – Tjena, läget?

2
> – God morgon.
> – Jag är lite förkyld. Och du?
> – Det är ganska bra.
> – God morgon. Allt väl?

4
> – Kanonbra. Du?
> – Tjena! Läget?
> – Lugnt.
> – Tja!

2 Prepositioner

Skriv rätt preposition.

från	i	av	efter	på	med	till

1 Umberto kommer _____ Italien. Han är intresserad __av__ svensk musik.

   Han studerar musik __i__ Stockholm nu. Umberto trivs __i__ Sverige

   men han längtar _____ italiensk mat.

2 Daina jobbar __på__ en bank __i__ Göteborg. Hon är gift _____ Kenneth.

3 Ulf är ingenjör och bor __i__ Malmö. Han jobbar __på__ ett företag i stan.

   Ulfs flickvän bor __i__ Linköping. Hon kommer ofta __till__ Malmö.

3 Subjektspronomen

A Skriv rätt pronomen i fraserna. Komplettera fraserna.
Exempel:

Daniel bor i Uppsala. _Han_ är _student_ .

1 Peter studerar ryska på universitetet. _____ talar också _____.

2 Lisa är student. _____ bor i _____.

4 – Varifrån kommer Jan och Marit?

   – _____ kommer från _____.

5 – Vad studerar ni?

   – _____ pluggar _____.

B Skriv rätt pronomen.

> vi   ni   de

1 – Hej, Sven och Märta! Hur mår _____?

   – Vi mår bra. Och ni, hur mår _____?

   – _____ mår också bra, tack.

2 – Kyoko! Du och Kajsa, var bor _____?

   – _____ bor i Stockholm.

3 – Du Renate, har du barn?

   – Ja, _____ heter Klaus och Mirja.

   – Talar _____ svenska?

   – Ja, lite.

4 – Varför är _____ i Sverige?

   – Vi jobbar här.

5 – Var bor Sara och Brian?

   – _____ bor i Stockholm.

C Skriv rätt pronomen.

jag   du   han   hon   vi   ni   de

1 – Vad heter _____?

– Jag heter Henrik.

2 – Vad heter din mamma?

– _Hon_ heter Ulrika.

– Och din pappa?

– _Han_ heter Petter.

3 – Var bor du?

– _Jag_ bor i Luleå.

4 – Vad heter _ni_?

– Vi heter Ola och Ulla.

5 – Var jobbar Agnes och Jessica?

– _____ jobbar på Åhléns.

6 – Varifrån kommer Hussein och Omar?

– _De_ kommer från Irak.

7 – Hej då, Ylva!

– Hej då. _Vi_ ses och hörs!

8 – Vad talar Noi för språk?

– _Hon_ talar thai, engelska och svenska.

9 – Var arbetar Lasse och Camilla?

– _____ arbetar i Göteborg.

10 – Vi kommer på festen!

– _____ är välkomna!

D Ändra *jag* → *han/hon*, *vi* → *de*.
Exempel:

Jag heter Ulrika. Jag kommer från Stockholm, men jag bor i Umeå.

> *Hon heter Ulrika. Hon kommer från Stockholm, men hon bor i Umeå.*

1 Niklas heter jag. Jag arbetar på en bank i Enköping.

2 Jag heter Ulla. Jag har en man som heter Ola. Jag är kassörska.

3 Jag heter Ola. Jag är gift med Ulla. Vi arbetar båda på Åhléns.

4 Vi heter Haukur och Svala. Vi kommer från Island, men vi bor i Stockholm.

5 Jag heter Hussein. Jag kommer från Irak och är gift med Suheila. Vi studerar svenska i Sverige.

4 Frågeord

Skriv rätt frågeord.

varifrån   hur   varför   var   vad

1 – _____ pluggar du?
  – Matematik.

2 – _____ är det?
  – Bara bra, tack.

3 – _____ är du i Sverige?
  – Min pojkvän bor här.

4 – _____ pluggar du?
  – På universitetet.

5 – _____ kommer du?
  – Från Malmö.

6 – Tja, _____ är läget?
  – Det är bra. _____ är det själv?
  – Det är bara bra. _____ gör du?
  – Jag läser tidningen.

7 – _____ bor ni?
  – Vi bor i Västerås.
  – _____ i Västerås?
  – På Solvägen.

8 – _____ står det till?
  – Bara bra, tack.

9 – Hej, _____ heter du?
  – Jag heter Maria. Och du?
  – Jag heter Oscar. _____ har du för yrke?
  – Jag är ekonom. _____ kommer du?
  – Från Peru.
  – Jaha, jag kommer från Italien. _____ är du i Sverige?
  – Jag arbetar på Ericsson som ingenjör. Och du?
  – Min man är svensk.

10 – _____ studerar du?
  – Jag pluggar kemi.

5 Substantiv: obestämd form singular

en penna   ett äpple

Obestämd artikel: *en* eller *ett*
Det finns inte regler för en/ett, tyvärr.
Du memorerar en/ett för varje ord.

En eller *ett*? Sortera orden i rutan och skriv en lista med en-ord och ett-ord.

~~lärare~~	kam	nyckel	paket
~~barn~~	flaska	tröja	yrke
väska	papper	necessär	artikel
biljett	läsk	dator	jobb
läppglans	penna	pass	tidning
banan	ordbok	bok	stuga

Exempel:

En	Ett
en lärare	ett barn

6 Prepositioner

Skriv rätt preposition. Du kan använda samma preposition flera gånger.

från	i	av	efter	på	med	till

Jag kommer _____ Marseille _____ Frankrike. Nu bor jag _____
  1   2   3

Stockholm. Jag är intresserad _____ svensk historia. Jag trivs men jag längtar
  4

_____ fransk mat. Jag bor _____ min man Ulf och arbetar _____ en
  5   6   7

bank. Min mamma och pappa kommer _____ Sverige _____ sommar.
  8   9

7 Verb: presens

A Skriv ett verb som passar. Du kan använda samma verb flera gånger.

| läser | heter | har | förstår, | längtar |
| kommer | är | lyssnar | skriver | pluggar |

1 – Jag _____ Eva och _____ från Österrike. Jag _____

svenska på universitetet. Jag _____ intresserad av svensk dans.

2 Jessica _____ journalist. Hon _____ en artikel.

3 Pjotr jobbar inte nu. Han _____ semester. Han _____ böcker

och _____ på musik.

4 – Var arbetar du?

– Jag _____ inte *arbetar*.

– Ehh. Var *jobbar* du?

– Jaha! Jag jobbar på bank.

5 – Vad _____ article på svenska?

– Artikel.

6 – Trivs du i Sverige?

– Ja, men jag _____ efter familj och vänner.

B Skriv egna exempel med verben i A.

Repetera

8 Ordföljd: frågeordsfråga

A Sortera orden till frågor.
Exempel:

| du vad heter | Vad heter du? |

1   mår hur du   4   Sara och Daniel var bor

2   i Sverige är han varför   5   kommer Noi varifrån

3   vad Peter gör i Stockholm

B Gör frågor till svaren och skriv på raderna.
Exempel:

Vad heter du?
Jag heter Chunde.

1 _____
Jag kommer från Kina.

2 _____
Jag är kemist.

3 _____
Jag arbetar här i Sverige.

4 _____
På ett svenskt företag, KEMAB.

5 _____
Jag bor i Malmö.

9 Ordföljd: ja/nej-fråga

A Ändra till frågor.

Exempel:

Heter han Peter?

Han heter Peter.

1 _____

Han är från Sverige.

2 _____

Han kommer från Skåne.

3 _____

Han är journalist.

4 _____

Han arbetar i Stockholm.

5 _____

Han är gift.

6 _____

Han har barn.

B Ändra *han* → *du* i frågorna från A.

Exempel:

Heter han Peter? → _Heter du Peter?_

C Svara på frågorna från B.

Exempel:

Heter du Peter? → _Nej, jag heter Caspar._

10 Frågeord

Välj rätt alternativ. Ringa in.
Exempel:

Var/(Vad) heter du?

1 Varifrån/Var kommer du?

2 Vad/Hur mår du?

3 Varför/Hur är du i Sverige?

4 Var/Vad bor du?

5 Var/Vad heter du?

11 Prepositioner

Skriv rätt preposition.

| ~~från~~ | i | på | med | från | efter | av |

1 Eva kommer _från_ Bukarest _____ Rumänien. Hon bor

_____ Göteborg nu. Hon arbetar _____ ett engelskt

företag. Eva bor _____ Erik. Erik kommer _____ Sverige.

2 Ali kommer _____ Irak. Han bor _____ Umeå.

Han forskar _____ universitetet.

3 Per-Arne kommer _____ Skellefteå. Han bor _____

Eva och en hund.

4 Josefina arbetar _____ ett företag. Det heter Blåbärskungen.

5 Ben är intresserad _____ svensk politik. Han trivs

_____ Sverige men längtar _____ familjen i USA.

3

1 Siffror

Skriv siffror med bokstäver.

1 _ett_   3 _____   5 _____   7 _____   9 _____

2 _____   4 _____   6 _____   8 _____   10 _____

2 Frågeord: Vilken, vilket, hur ...?

Vilken gata bor du på?
Vilket nummer bor hon på?
Hur gammal är du?
Hur många barn har du?
Hur mycket kaffe dricker man i Sverige?

Vilken + en-ord
Vilket + ett-ord
Hur + adjektiv
Hur många = man kan räkna
Hur mycket = man kan inte räkna

Skriv rätt frågeord. Du kan använda samma frågeord flera gånger.

Vilken	Vilket	Hur	Hur många	Hur mycket

1 – _____ hus bor du i?

– Det där.

2 – _____ lång är du?

– 1,78.

3 – _____ väska ska du köpa?

– Den här.

4 – _____ vatten dricker

du varje dag?

– Tja, en halvliter kanske.

5 – _____ personer

kommer på konferensen?

– 60 ungefär.

6 – _____ gammal är din

pappa?

– 69.

7 – _____ barn har ni?

– Två.

8 – _____ buss ska vi ta?

– Fyran.

3 Frågeord: Vad ... för?

Vad har du **för** telefonnummer?
Vad talar Erik **för** språk?

Vad + verb + subjekt + (preposition) + *för* + substantiv

Skriv "*vad ... för*-frågor" till svaren.
Exempel:

Cabernet.

Vad dricker du för vin?

1   En Volvo.
2   08-123 45 67.
3   En Samsung.

4   En Rolex.
5   En dubbel espresso.
6   Pop.

4 Klockan

Hur mycket är klockan?
Exempel:

8.10	*tio över åtta*	
1	3.35	
2	12.30	
3	7.55	
4	9.45	
5	2.05	
6	11.20	
7	1.15	
8	4.40	
9	8.25	
10	2.50	

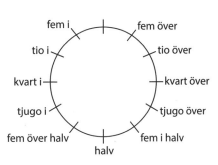

5 Fråga om tid

> När börjar vi?
> Hur dags börjar vi?
> Vilken tid börjar vi?

Fråga om tid: *När = Hur dags = Vilken tid*

Skriv frågor till svaren.
Exempel:

Klockan sju.

Vilken tid vaknar du?

1	Halv åtta.	5	Klockan tre.
2	Vid åttatiden.	6	Klockan sju.
3	Klockan tio.	7	Halv tolv ungefär.
4	Mellan tolv och ett.	8	Vid tolvtiden.

6 Ordföljd: huvudsats

Fundament	Verb	Subjekt	Satsadverb	Komplement	Plats/tid
Renate	vaknar	---	alltid	---	klockan sex.
Klockan halv sju	äter	hon	---	frukost.	---
Hon	äter	---	---	frukost	klockan halv sju.
Renate	promenerar	---	---	---	hem efter lunchen.
Efter lunchen	promenerar	Renate	---	---	hem.
Hur dags	äter	vi	---	lunch?	---
---	Har	du	---	en klocka?	---

Verbet står på plats 2.
Subjektet står i fundamentet eller efter verbet.
Satsadverbet (*inte, alltid*) står efter verbet.
I ja/nej-frågor står verbet först.

A Sortera orden och skriv meningar. Börja med ordet i fet stil.

Exempel:

> Kajsa alltid morgonen
> en **På** bulle äter .

> *På morgonen äter Kajsa*
> *alltid en bulle.*

1
> tar eftermiddagen
> Sven promenad en **På** .

4
> spelar **På** mamma
> saxofon kvällen .

2
> Sverige du
> **Varför** i bor ?

5
> filmen tid börjar
> **Vilken** ?

3
> efter inte dricker
> **Lisa** middagen kaffe .

6
> du till **Hur dags**
> danskursen går ?

B Skriv in meningarna från A i ett satsschema.

Exempel:

Fundament	Verb	Subjekt	Satsadverb	Komplement	Plats/tid
På morgonen	äter	Kajsa	alltid	en bulle.	

 C Ändra texten om Kyoko. Skriv orden med fet stil först.

Exempel:

> *Idag vaknar Kyoko klockan åtta. Hon äter rostat bröd och dricker*
> *kaffe till frukost. Sedan duschar hon.*

Kyokos dag

Kyoko vaknar klockan åtta **idag**. Hon äter rostat bröd och dricker kaffe till frukost. Hon duschar **sedan**. Hon tar bussen till stan **klockan tio**. Hon träffar en vän från skolan **där**. De fikar på ett kafé i stan. Kyoko pluggar **på efter-middagen**. Hon går till gymmet **sedan**. Hon tränar till klockan sju. Hon går till affären och handlar **då**. Hon köper kyckling och sallad. Hon går hem och lagar mat **sedan**. Kyoko pratar i telefon med pappa i Japan och läser **på kvällen**. Hon går och lägger sig **klockan tolv**. Hon är mycket trött **då**.

Kopiering av detta engångsmaterial är förbjuden enligt lag och gällande avtal.

KAPITEL 3 • **25**

7 Substantiv: bestämd form singular

Obestämd form	Bestämd form	
en penna	+n	pennan
en bil	+en	bilen
ett äpple	+t	äpplet
ett liv	+et	livet
HALVSPECIAL		
en man	mannen	
ett hem	hemmet	
ett program	programmet	
ett fönster	fönstret	
en nyckel	nyckeln	
en dator	datorn	
en spegel	spegeln	

Obestämd → bestämd form singular

A Skriv orden i bestämd form singular.

en lärare	en middag	en pensionär	en timme	ett bord
en läkare	en lunch	ett barn	ett piano	en bok
ett program	en kurs	ett land	en paus	en väska
en son	en dag	ett år	en buss	en radio
ett arbete	en flicka	en fru	ett hus	en teve
ett tuggummi	ett rum	en mobil	en dörr	ett språk
en frukost	en sol	ett äpple	en spegel	en karta

Har du programmet för konferensen imorgon?
Renate älskar dans! Efter dansen är hon mycket hungrig förstås.
Renate berättar om livet i Sverige.
Hur mycket är klockan?

Substantivet har bestämd form när:
• den som lyssnar/läser vet vad vi menar
• det inte är första gången vi pratar om det
• vi pratar om en specifik sak.

B Skriv substantiven i rätt form där de passar in.

liv   teve   te   frukost   buss   eftermiddag
gitarr   bok   mejl   middag   väninna

Michelle vaknar klockan sju. Då dricker hon kaffe och äter yoghurt med müsli

till frukost. Efter _____ tar hon en promenad. Sedan dricker hon
                         1

en kopp _____ och läser en _____ i en timme ungefär.
              2   3

Klockan tolv äter hon lunch. På _____ träffar Michelle en
                                        4

_____ i stan. De fikar och pratar om _____ . Sedan
        5   6

tar hon _____ hem. Michelle äter _____ vid sju.
              7   8

Sedan skriver hon ett _____ , tittar på _____ och
                            9   10

spelar lite _____ .
                  11

8 Imperativ

Titta en älg!
Sätt på teven!
Gå Krutgatan rakt fram.

Imperativ använder man i uppmaningar. Fraser med imperativ har inte subjekt.
I svenskan är imperativ = verbets grundform. Om du lär dig imperativformen kan du göra alla verbformer!

Läs dialogen. Stryk under alla verb. Vilka verb är i imperativ?

Mamma: Gå och lägg dig nu! Du börjar skolan klockan åtta imorgon.

Son: Men jag är inte trött …

Mamma: Klockan är mycket. Kom nu!

Son: Jaja, jag kommer! Snälla mamma, läs en saga för mig.

Mamma: Okej, jag läser lite om du sover sedan.

(Senare)

Mamma: Sov gott! Jag väcker dig halv sju imorgon.

Son: Nej, väck mig klockan sju i stället.

9 Presens till imperativ

Presens	Imperativ
Claus vaknar klockan sju.	Vakna! Klockan är sju.
Jag ringer dig imorgon.	Ring mig imorgon!
Jag tror inte på det.	Tro inte på det!

Verb som slutar på -er i presens: ta bort er.
Verb som slutar på annan vokal (inte e) + r i presens: ta bort r

Presens		Imperativ
vaknar	- r	→ vakna!
ringer	- er	→ ring!
tror	- r	→ tro!
HALVSPECIAL:		
gör		→ gör!
hör		→ hör!
SPECIAL:		
är		→ var!

A   Skriv verben i imperativ där de passar in.

> sätter   går   sover   dricker   öppnar

1   Det är varmt!

– _____ fönstret då.

2   – Jag går och lägger mig nu.

– _____ gott!

3   – Nyheterna börjar nu.

– Oj, _____ på teven!

4   – Ursäkta, hur kommer jag till Stortorget?

– _____ gatan rakt fram så kommer du dit.

5   – Jag är törstig, pappa!

– _____ ett glas vatten då.

B   Skriv imperativ av verben.

1	börjar	_____	6	kommer	_____
2	sover	_____	7	läser	_____
3	är	_____	8	gör	_____
4	går	_____	9	frågar	_____
5	pluggar	_____	10	mår	_____

11	ligger	_____
12	röker	_____
13	slutar	_____
14	har	_____
15	ringer	_____

10 Imperativ till presens

Imperativ	Presens
Lyssna!	Jag lyssnar.
Stäng dörren!	Jag stänger dörren.
Tro mig!	Jag tror dig.

Imperativ		Presens
lyssna!	+ r	→ lyssnar
stäng!	+ er	→ stänger
tro!	+ r	→ tror
HALVSPECIAL:		
gör!		→ gör
hör!		→ hör
SPECIAL:		
var!		→ är

Verb som slutar på *vokal* i imperativ: + r
Verb som slutar på *konsonant* i imperativ: + er.

A Skriv svaren i presens.
Exempel:

Ät inte upp all glass!

Jag äter inte upp all glass.

1 Drick inte så mycket saft!
2 Sitt inte framför datorn hela dagen!
3 Titta inte så mycket på teve!
4 Fråga inte så mycket!

B Skriv presens av verben.

1 Titta!	_____	6 Sov!	_____	11 Ha!	_____
2 Gå!	_____	7 Kom!	_____	12 Dansa!	_____
3 Ät!	_____	8 Börja!	_____	13 Sjung!	_____
4 Läs!	_____	9 Sluta!	_____	14 Köp!	_____
5 Prata!	_____	10 Fråga!	_____	15 Stryk!	_____

Kopiering av detta engångsmaterial är förbjuden enligt lag och gällande avtal.

KAPITEL 3 • **29**

11 På morgonen, på eftermiddagen ...

 A När gör man vad? Kombinera aktivitet med tid på dagen.
Exempel:

> *På morgonen vaknar man och stiger upp.*

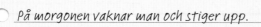

4 somnar	går på gym	3 äter middag	~~vaknar~~
1 går till kursen/jobbet	3 går hemifrån	äter frukost	~~stiger upp~~
4 går och lägger sig	går från kursen/jobbet	1 fikar	4 sover

1 på morgonen

3 på kvällen

2 på eftermiddagen

4 på natten

 B Använd verben i A och skriv frågor med *du*.
Exempel:

> *När somnar du?*

Hur dags ...?   När ...?   Vilken tid ...?

C Svara på frågorna från B.
Exempel:

> *Jag somnar klockan elva.*

D Komplettera meningarna.

1 Klockan åtta …   4 Efter lunch …

2 På eftermiddagen …   5 På kvällen …

3 Vi …   6 Varför …?

12 Prepositioner

Skriv rätt preposition.

Kim bor _____ Storgatan _____ Östersund. Hon läser franska på
        1   2

lördagar _____ nio och halv tolv. De är tio personer _____ klassen.
         3   4

Idag är det lördag. Efter kursen träffar Kim en vän och de äter lunch _____
                                                                      5

en liten restaurang _____ stan. Kim äter lax _____ hollandaisesås och
                    6   7

potatis. _____ eftermiddagen chattar hon _____ en kompis _____
         8   9   10

Frankrike. Hon skriver _____ kursen i franska. _____ kvällen tittar
                       11   12

Kim på en film _____ teve. Sedan pratar hon _____ telefon _____
               13   14   15

pappa och lyssnar _____ musik. Klockan ett går hon och lägger sig. Hon
                  16

somnar direkt.

Repetera

13 Personliga pronomen (han/hon/de) och frågeord

Här är 20 vanliga kvinno- och mansnamn i Sverige 2012. Många kvinnonamn slutar
på –a, men inte alla (till exempel Kerstin, Marie, Inger).

Kvinnor		Män	
Anna	Marie/Mari	Lars	Daniel
Eva	Birgitta	Anders	Fredrik
Maria	Malin	Mikael/Michael	Hans
Karin	Jenny	Johan	Bengt
Kristina/Christina	Inger	Karl/Carl	Mats
Lena	Ulla	Per	Andreas
Kerstin	Annika/Annica	Erik	Stefan
Sara	Monica/Monika	Jan	Sven
Ingrid	Linda	Peter	Bo
Emma	Susanne/Susann	Thomas/Tomas	Nils

Skriv rätt frågeord och pronomen.

> vad   var   hur   när   varför   varifrån

1 – _Var_____ bor Anders?

– _Han_____ bor i Karlstad.

2 – _VAD_____ äter Andreas och Anna?

– _De_____ äter pizza.

3 – _Hur_____ mår Annika?

– _Hon_____ mår ganska bra.

4 – _När_____ kommer Bengt och
Birgitta?

– _De_____ kommer klockan fem.

5 – _Varför_____ bor Bo i Spanien?

– _Han_____ är pensionär.

6 – _Varifrån_____ kommer Daniel och
Emma?

– _De_____ kommer från Linköping.

7 – _Vad var_____ ska Erik köpa?

– _Han_____ ska köpa en kebab.

8 – _Var_____ studerar Eva?

– _Hon_____ studerar på universitetet.

9 – _När_____ vaknar Fredrik?

– _Han_____ vaknar klockan sju.

10 – _Varför_____ kommer inte Hans?

– _Han_____ är förkyld.

Kopiering av detta engångsmaterial är förbjuden enligt lag och gällande avtal.

4

1 Hjälpverb

Skriv ett hjälpverb. Flera alternativ kan vara rätt.

> kan   ska   vill   måste

– Du, vad _____ du göra efter jobbet?

1

– Jag _____ gå till affären. Jag _____ handla för jag _____ ha fest.

2   3   4

_____ du följa med?

5

– Ja absolut, jag _____ köpa mjölk för den är slut. Sedan _____ jag

6   7

äta för jag är jättehungrig. _____ du följa med till pizzerian?

8

– Ja, gärna efter affären. Jag är också ganska hungrig. Sedan _____ jag

9

dricka öl med en kompis klockan åtta. Kom med du också!

– Tyvärr, jag _____ inte för jag _____ träffa mamma. Gärna en

10   11

annan dag!

2 Verb: infinitiv

> Jag ska gå till närbutiken. Jag måste köpa ett kontantkort.

Hjälpverb + infinitiv

Imperativ → Infinitiv		Presens → Infintiv	
träffa =	träffa	träffar – r =	träffa
köp + a =	köpa	köper – er + a =	köpa
bo =	bo	bor – r =	bo
gå =	gå	går – r =	gå

Skriv verbformerna.

	Imperativ	Infintiv	Presens
1	arbeta!	*arbeta*	*arbetar*
2	bo!		
3			forskar
4			förstår
5	gå!		
6	jobba!		
7	kom!		kommer
8			vaknar
9	ät!		
10	tro!		

3 Verb: infinitiv eller presens?

Jag ska gå till jobbet nu.   Jag går till jobbet varje dag.

Hjälpverb + infinitiv
Verb: presens = NU eller vana

Välj verb ur rutan och skriv dem i infinitiv eller presens där de passar in.
Du kan använda samma verb flera gånger.

träffa!   titta!   drick!   gå!   läs!   ät!   köp!   ring!

Exempel:

Peter ska äta lunch.

1 Ahmed _____ på teve efter middagen. Sedan _____ han en kompis som

   bor i Australien. De pratar länge.

2 Gurli vill _____ en bok ikväll. Hon måste _____ till Peter också.

3 Kyoko vill _____ svenska.

4 Eva _____ till närbutiken och _____ ett paket mjölk.

5 Gunilla _____ ofta på restaurang men ikväll ska hon _____ pizza hemma.

   Sedan ska hon _____ på teve.

6 Ola _____ en vän på stan. De _____ en kopp kaffe och _____ en bulle.

4 Sortera

 Skriv meningar. Välj ord ur varje ruta.

> *Jag vill ha ett paket tuggummi, tack.*

1

~~Jag vill~~	få ett	kaffe och en bulle.
Kan jag	~~ha ett paket~~	telefonkort, tack.
Jag skulle	jag få en biljett	~~tuggummi, tack.~~
Kan	vilja ha en	till Göteborg, tack.

2

Jag vill	kontantkort.
Jag måste köpa ett	mat till ikväll.
Jag ska köpa	till affären.
Jag kan gå	äta lunch.

5 Demonstrativa pronomen: singular

| den här/där bullen | Demonstrativt pronomen + substantiv bestämd form |
| det här/där äpplet | |

 Skriv fraser med demonstrativt pronomen.
Exempel:

> *Den här apelsinen kostar fem kronor.*

1

3

5

2

4

6

6 Substantiv: obestämd form plural

1 gurkor
2 purjolökar
3 tomater
4 äpplen
5 päron –
   hamburgare –

Substantiv: plural obestämd form, 5 grupper

En-ord har plural på -r (or, ar, eller -er) (inte ord på -are)
Ett-ord har plural på -n eller samma form

En:
Grupp 1: Ordet slutar på -a → plural -or
Grupp 2: Ordet har inte betoning på sista stavelsen
→ Tendens: plural -ar
Grupp 3: Ordet har betoning på sista stavelsen
→ Tendens: plural -er

Ett:
Grupp 4: Ordet slutar på vokal → plural -n
Grupp 5: Ordet slutar på konsonant
→ samma form

OBS! En-ord som slutar på -are är också grupp 5.

SPECIAL
Många ord har specialplural, till exempel bok – böcker.

A Plural till singular.
   Exempel:

   familjer   _en familj_

   1 biologer   _____   6 sjuksköterskor _____

   2 tandläkare   _____   7 hamburgare   _____

   3 busschaufförer   _____   8 yrken   _____

   4 barn   _____   9 övningar   _____

   5 förskolor   _____   10 företag   _____

B Plural till singular.
Exempel:

| gurkor | _en gurka_ |

Brian köper frukt till en fruktsallad. Han köper bara en frukt av varje sort.
Han köper …

| äpplen päron | _____ , _____ |
| | 1   2 |

| apelsiner bananer | _____ , _____ |
| | 3   4 |

| aprikoser citroner | _____ , _____ |
| | 5   6 |

| och fikon | och _____ . |
| | 7 |

Kyoko köper grönsaker till en chiligryta. Hon köper bara en grönsak av varje sort.
Hon köper …

| paprikor lökar | _____ , _____ |
| | 8   9 |

| purjokökar champinjoner | _____ , _____ |
| | 10   11 |

| och chilifrukter | och _____ . |
| | 12 |

C Singular till plural.
   Exempel:

   en necessär   _necessärer_

   1 en karta   _____   6 en tidning   _____

   2 en älg   _____   7 en person   _____

   3 ett nummer   _____   8 ett pass   _____

   4 en present   _____   9 en buss   _____

   5 en restaurang   _____   10 ett piano   _____

D Singular till plural. Vad har du i väskan?
   Exempel:

   två _biljetter_
       (en biljett)

   – Vad har du i väskan?

   – Jag har två _____, en över Stockholm och en över Toronto.
                  (en karta) 1

   Jag har tre _____ faktiskt. Sedan har jag fyra _____ med läsk
               (en mobiltelefon) 2   (en flaska) 3

   och vatten, några _____ och tre _____. Sedan har jag många
                     (ett suddgummi) 4   (en kam) 5

   _____ och _____. Jag har tio _____ och två
   (en penna) 6   (ett papper) 7   (en bussbiljett) 8

   _____ . _____ också förstås.
   (ett paket cigaretter) 9   (en nyckel) 10

   – Oj! Vad många _____ du har!
                    (en sak) 11

E Sortera. Skriv orden från A och B i rätt grupp. Skriv dem i singular och plural.

GRUPP 1 -or	GRUPP 2 -ar	GRUPP 3 -er	GRUPP 4 -n	GRUPP 5 –
en paprika/	en purjolök/	en apelsin/	ett äpple/	ett päron/
paprikor	purjolökar	apelsiner	äpplen	päron

7 Substantiv: bestämd och obestämd form singular

A Ringa in rätt form.

– Du, vad ska du göra efter (1) *en lektion/lektionen*?
– Jag ska gå till (2) *mataffär/mataffären*. Jag måste köpa (3) *ett kontantkort/ kontantkortet* till (4) *en mobil/mobilen*. Och (5) *ett paket/paketet* cigaretter. Vill du följa med?
– Ja absolut, jag ska köpa (6) *en dosa/dosan* snus. Sedan måste jag äta för jag är jättehungrig. Vill du följa med till (7) *thaiställe/thaistället* på Stortorget?
– Ja, gärna. Jag ska fika med (8) *en kompis/kompisen* klockan ett. Kom med du också!
– Tyvärr, jag kan inte.

B Ringa in rätt form igen.

1 – Jag vill ha *en bulle/bullen*, tack.
   – Vill du ha den här *bulle/bullen* eller den där?
   – Den där, tack.

2 – Har du *en näsduk/näsduken*?
   – Ja, vänta lite. Här.
   – Tack.

3 – Hej, vad kostar det här *äpple/ äpplet*?
   – Det kostar 7 kronor.

4 – Ursäkta, har ni *mjölk/mjölken*?
   – Ja, på andra *hylla/hyllan* till höger. ?

5 – Ska vi laga *pizza/pizzan* ikväll?
   – Ja, vad gott. Då måste vi köpa *mjöl/mjölet* och *en burk/burken* tomater.
   – Ja, och *en påse/påsen* riven ost.

8 Sortera dialoger

A Sortera till två dialoger.

> – En te och en kaffe, tack.
> – Ja, titta här. Fina päron. 25 kronor kilot.
> – Te, kaffe och två bullar. Det blir 84 kronor, tack.
>
> – Hej, har ni päron?
> – Två kilo. Det blir 50 kronor.
> – Två bullar också, tack.
> – Jag vill ha två kilo.
> – Var det bra så?

B Titta på bilden och skriv en egen dialog.

Kaffe 20:-	Ostsmörgås 42:-
Latte 35:-	Dammsugare 17:-
Te 18:-	Kanelbulle 28:-
Juice 32:-	Chokladboll 23:-
Läsk 25:-	Morotskaka 34:-

9 Prepositioner

Välj prepositioner ur rutan och skriv dem där de passar in.

> till   för   utan   med   på

1 – Jag ska äta lunch _____ en kompis _____ kebabstället.

2 – En kopp te och en läsk, tack.

   – Det blir 25 kronor _____ teet och 20 kronor _____ läsken, tack.

3 – Du, var finns ost?

   – Första hyllan _____ höger här.

4 – En kopp kaffe, tack.

   – _____ mjölk?

   – Nej, _____ mjölk, tack.

   – Vill du ha något _____ kaffet?

   – Nej, tack.

5 – Hej hej, jag vill ha soppa _____ bröd, tack.

6 – Ikväll ska jag ha en fest _____ vänner från klassen. Välkomna!

7 – Jag ska gå _____ närbutiken och köpa ett kontantkort _____ mobilen.

8 – Kom och köp billiga bananer! Ett kilo _____ 20 kronor. Billigt!

9 – Vad ska du köpa _____ sylt?

   – Jag ska köpa lingonsylt.

Repetera

10 Verb: imperativ, infinitiv och presens

Skriv formerna.

	Imperativ	Infinitiv	Presens
1	börja!		
2			talar
3	ring!		
4	kom!		
5			dricker
6			äter
7	säg!		
8			bor
9			mår
10	ta!		

11 Substantiv: singular obestämd, singular bestämd och plural obestämd form

Skriv formerna.

	Singular obestämd	Singular bestämd	Plural obestämd
1	en tröja		
2			läsplattor
3	en kanelbulle		
4		ostsmörgåsen	
5			chokladbollar
6	en cigarett		
7			minuter
8			ordböcker*
9			skor
10	ett cerat		
11		tuggummipaketet	
12			wienerbröd
13	ett foto		
14		dammsugaren	

*SPECIAL

12 Imperativ

Välj rätt alternativ.

Stäng Stänger	1	– _____ av datorn nu. Det är dags att sova.
		– Vänta, jag ska bara göra en sak först.
rök röker	2	– Snälla, _____ på balkongen i stället.
		– Åh, förlåt. Självklart!
drick dricker	3	– Vill du ha kaffe eller te?
		– Te, tack. Jag _____ inte kaffe.
Kom Kommer	4	– _____ hem klockan sju. Då äter vi middag.
		– Okej.
Läs Läser	5	– _____ du tidningen på morgonen?
		– Nej, på kvällen.
skriv skriver	6	– Jag _____ rapporten imorgon. Jag måste gå hem nu.
		– Okej. Vi ses imorgon, då.
Tro Tror	7	– _____ inte på allt han säger.
		– Varför inte?
Ring Ringer	8	– _____ du mig efter jobbet?
		– Absolut!

5

1 Presens futurum: ska + infinitiv

Jag ska träffa Peter på tisdag.
Vi ska gå på bio på lördag.
Vad ska du göra på fredag?

Presens futurum: ska + infinitiv.
Subjektet bestämmer/planerar/vill göra något.

A Välj verb ur rutan och skriv dem i rätt form där de passar in.

tar   pluggar   tränar   ser   träffar   gör   fikar   går   spelar   åker
ÅKA

1 – Vad ska du _____ i sommar?

– Jag ska _____ till England. Du då?

– Jag ska _____ franska i Aix en Provence i juli.

2 – Nisse och jag ska _____ på bio på lördag. Vi ska _____

Vampyrer. Och efter filmen ska vi _____ en öl. Vill du följa med?

– Det låter kul!

3 – Efter kursen ska jag _____ Amanda. Vi ska _____ på Café Rex.

Hänger du med?

– Tyvärr, jag kan inte. Jag ska _____ badminton med Carlos. Och sedan

ska vi _____ på gymmet.

B Skriv och berätta vad du ska göra nästa vecka.
Exempel:

På måndag ska jag gå på kurs. Efter kursen ska jag gå på yoga.
På tisdag ska jag ...

2 Satsadverb: adverbets position

Fundament	Verb 1	Subjekt	Satsadverb	Verb 2	Komplement	Adverb
Jag	går	---	sällan	---	---	på bio.
Jag	lagar	---	ofta	---	asiatisk mat.	---
På tisdagar	går	jag	alltid	---	---	på vatten-gympa.
Jag	brukar	---	aldrig	gå	---	på teater.
Ibland	promenerar	jag	---	---	---	i parken.
Jag	tittar	---	---	---	på teveserier	ibland.

Aldrig/sällan/ofta/alltid: efter första verbet i huvudsats.
Ibland: först eller sist.

A Välj satsadverb ur rutan och skriv en mening med orden ur de blå rutorna.

> alltid   ofta   ibland   sällan   aldrig

Exempel:

ringer jag
mamma till

Jag ringer ofta till mamma.

1 tittar teve
   jag på

2 på går
   bio jag

3 restaurang går
   jag på

4 dricker vin jag

5 i kyrkan
   jag går

6 sjunger
   i kör jag

7 på jag
   tränar gym

8 lyssnar på
   musik jag

9 skateboard åker
   jag

B Skriv fler exempel med satsadverben.

3 Tycker om/Tycker om *att*

> Jag tycker om fina saker.
> Jag gillar att laga mat.

Tycker om/gillar/älskar + objekt (substantiv)
Tycker om *att*/gillar *att*/älskar *att* + infinitiv (verb)

Komplettera meningarna.

1 Jag älskar …!

2 Jag tycker om att …

3 Gillar du att …?

4 Jag tycker mycket om …

5 Jag gillar att …

6 Tycker du om …?

4 Adjektiv

> en rolig film
> ett roligt program
> roliga filmer

en adjektiv	SPECIAL
ett adjektiv + *t*	*bra, bra, bra*
plural adjektiv + *a*	*god, gott, goda*
Adjektiv som slutar på *-nde*	*kort, kort, korta*
har alltid samma form:	*gammal, gammalt, gamla*
fascinerande, fascinerande, fascinerande	

Adjektiv + substantiv: *Vi ska se en rolig film.*
Substantiv + *är/var* + adjektiv: *Filmen är rolig.*

Skriv adjektiven i rätt form.

rolig   1 – Ikväll går det ett _____ program på teve om hundar.
Det måste vi se!

tysk   – Nja, jag vill se en _____ film som går i kanal 4.

lång   – Ja, men programmet är inte så _____ , så vi kan se båda.

koreansk   – Okej. Ska vi köpa hem _____ mat och äta framför teven?

läskig rolig	2 – Jag vill inte se _____ filmer, för då kan jag inte sova

2 – Jag vill inte se _____ filmer, för då kan jag inte sova

efteråt. Jag tycker mer om _____ filmer.

spännande
historisk
intressant

– Jag gillar _____ filmer! _____ filmer är

också _____ .

italiensk
italiensk

3 – Vill du prova ett _____ vin från Toscana?

– Ja, gärna. Jag älskar _____ viner!

5 Verb: preteritum

Per och Mia **stannade** hemma igår.
De **ringde** och **beställde** pizza.

Preteritum: DÅTID
Man pratar om något som
hände en specifik tid i DÅ.

Imperativ		Preteritum
stanna	+ de	stannade
ring	+ de	ringde
tyck*	+ te	tyckte
må	+ dde	mådde

* imperativ som slutar på *k, p, s, t* eller *x* → *te*.

SPECIAL
t.ex: *går – gick, vill – ville, äter – åt, är – var*
Se verblistan på www.nok.se/rivstart.

A Ändra från imperativ till preteritum.

1	bo	_____	7	stäng	_____
2	cykla	_____	8	rök	_____
3	beställ	_____	9	promenera	_____
4	vakna	_____	10	somna	_____
5	spela	_____	11	tro	_____
6	läs	_____	12	lyssna	_____

B Ändra specialverben från presens till preteritum.

1	äter	_____	11	vill	_____
2	är	_____	12	vet	_____
3	kommer	_____	13	ligger	_____
4	dricker	_____	14	sjunger	_____
5	får	_____	15	springer	_____
6	sover	_____	16	förstår	_____
7	säger	_____	17	skriver	_____
8	går	_____	18	ger	_____
9	heter	_____	19	gör	_____
10	tar	_____	20	finns	_____

C Kan du fler verb? Skriv i preteritum.

D Läs texten. Stryk under alla verb. Skriv sedan texten i preteritum.
Exempel:

Väckarklockan ringde halv sju och jag vaknade direkt.

Väckarklockan ringer halv sju och jag vaknar direkt. Till frukost äter jag två smörgåsar, en med ost och en med marmelad. Jag dricker kaffe med mjölk. Efter frukosten duschar jag.

Klockan åtta går jag hemifrån. Jag åker buss till jobbet. Jag arbetar mellan nio och halv fem. Klockan tolv har jag lunch i en timme. Då går jag ut och äter.

Jag promenerar hem från jobbet. På kvällen ringer jag till en kompis. Sedan tittar jag på teve, städar lite och läser tidningen. Jag är mycket trött efter en lång dag och somnar vid tiotiden.

E Skriv och berätta vad du gjorde igår.

Repetera

6 Hjälpverb

Välj verb ur rutan och skriv dem där det passar in. Flera alternativ kan vara rätt.

> kan   vill   ska   måste   brukar

1 – Jag _____ gå till kiosken och köpa snus.

   – Åh, _____ du köpa ett paket tuggummi till mig?

   – Javisst.

2 – På måndagar _____ jag spela bridge. Det är jättekul!

   – Jaha. Jag _____ inte spela bridge, men jag spelar poker ibland.

3 – Jag _____ gå och fika. _____ du följa med?

   – Tyvärr, jag _____ inte. Jag _____ plugga. Jag har

   prov imorgon.

4 – Vad _____ du äta till frukost?

   – Jag äter yoghurt och müsli varje dag. Du då?

   – Jag _____ äta smörgåsar.

5 (*till ett barn*)

   – _____ du läsa?

   – Ja.

   – _____ du skriva också?

   – Ja.

   – Vad bra!

7 Verb: infinitiv eller presens?

Välj verb ur rutan. Skriv dem i rätt form (infinitiv eller presens) där de passar in. Du kan använda samma verb flera gånger.

> träffa!   titta!   drick!   gå!   läs!   ring!

1 Abdul _____ ofta på teve efter middagen. Sedan brukar han _____

   en kompis som bor i Tyskland.

2 Ola _____ en vän på stan. De _____ en kopp kaffe tillsammans.

3 Gunilla brukar _____ böcker och _____ på teve. Ibland _____

   hon en kompis på mobilen.

4 Eva och hennes mamma brukar _____ på restaurang på fredagar.

   Sedan _____ de på bio.

5 Samira brukar _____ vatten till maten.

6 Asam _____ svenska måndag till fredag.

8 Verb: imperativ, infinitiv, presens och preteritum

A Skriv alla former av verben.

Imperativ	Infinitiv	Presens	Preteritum
prata!	prata	pratar	pratade
		ringer	
			mådde
köp!			
		fikar	
			stängde
		bor	
lyssna!			

B Skriv verben i rätt form.

ringa prata

1 – Ska du _____ mamma idag?

   – Nej, jag _____ med mamma igår.

bo

2 – Var _____ Anna och Ulf nu?

   – I Malmö. De _____ i Ystad till 2012.

må gå

3 – Usch, jag _____ jättedåligt igår.

   – Oj då. _____ du hem från jobbet då?

   – Ja, efter lunch.

göra träna
ha följa

4 – Vad ska du _____ på lördag kväll?

   – Jag vet inte. Jag brukar _____ vattengympa på lördagar,

   men det är klockan fem. Hur så?

   – Jag _____ en extra biljett till Valkyrian. Vill

   du _____ med?

   – Ja, gärna!

fika gå
se tycka

5 – Igår _____ jag med en kollega. Sen _____ vi

   på bio och _____ en skräckfilm.

   – Å fy! Jag _____ inte om skräckfilmer!

läsa

6 – _____ du artikeln om fotbollsmatchen igår?

   – Nej, men jag ska _____ den nu.

9 Ordföljd: huvudsats

Positionsschema

Fundament	Verb 1	Subjekt	Satsadverb	Verb 2	Komplement	Adverb
Jag	brukar	----	alltid	träffa	Peter	på måndagar.
På måndagar	brukar	jag	alltid	träffa	Peter.	----
Jag	ska	----	----	träffa	Peter	på måndag.
På måndag	ska	jag	----	träffa	Peter.	----

 Skriv om meningarna om Olga här nedanför med de <u>understrukna</u> orden först. Gör ett positionsschema på separat papper och skriv in varje mening där.
Exempel:

Fundament	Verb 1	Subjekt	Satsadverb	Verb 2	Komplement	Adverb
Från måndag till fredag	brukar	hon		arbeta.		

Olgas vecka

Olga är läkare.
Hon brukar arbeta <u>från måndag till fredag</u>.

1   Hon har många patienter <u>varje dag</u>.

2   Hon brukar träffa kollegerna <u>på måndagar</u>.

3   De pratar om familjen <u>ibland</u>.

4   Hon brukar tala med chefen <u>på tisdagar</u>.

5   De diskuterar administration och ekonomi <u>tillsammans</u>.

6   Hon träffar vänner <u>ibland</u>.

7   De brukar ta en kopp kaffe tillsammans <u>på torsdagar.</u>

8   Olga brukar vara trött <u>på fredagar</u>.

9   Hon tittar på teve <u>då</u>.

10 Hon springer i skogen <u>på lördagar</u>.

11 Hon är glad <u>då</u>.

10 Ord

Titta på de understrukna orden. Vilken är grundformen?
Exempel:

På <u>måndagar</u> <u>äter</u> jag två <u>biffar</u> och tre <u>potatisar</u> och <u>dricker</u> <u>tyskt</u> vin.

måndag, äta, biff, potatis, dricka, tysk

1 Jag äter två <u>smörgåsar</u> och två <u>glas</u> juice.

2 Jag <u>dricker</u> två <u>flaskor</u> <u>italienskt</u> vin med två <u>kompisar</u>.

3 På <u>morgonen</u> är vi <u>trötta</u> och äter två <u>stekta</u> ägg med bacon.

4 På <u>eftermiddagen</u> <u>går</u> jag från <u>jobbet</u> <u>klockan</u> tre.

5 Jag <u>spelar</u> squash med mina <u>systrar</u>.

11 Substantiv: singular obestämd form

Vad heter orden i singular obestämd form? *En* eller *ett*?

1	tidningar	_____	7	kompisar	_____
2	auktioner	_____	8	pensionärer	_____
3	bibliotek	_____	9	trumpeter	_____
4	skidor	_____	10	klubbar	_____
5	restauranger	_____	11	annonser	_____
6	timmar	_____	12	trädgårdar	_____

12 Klockan

 A Skriv meningar. Börja med tiden.
Exempel:

12:00 lunch

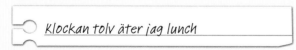

Klockan tolv äter jag lunch

1 15:15 kaffe   3 19:45 bio   5 22:55 radio

2 18:30 middag   4 22:10 en bok   6 23:15 somna

6

1 Objektspronomen

Vi besökte henne ibland på sommarlovet.
Vi skrev brev och mejlade till dem och
de ringde oss ganska ofta.

Objektspronomen: som objekt och
efter preposition.

Subjektspronomen	Objektspronomen
jag	mig
du	dig
han	honom
hon	henne
den/det	den/det
vi	oss
ni	er
de [dom]	dem [dom]

A Skriv de former som fattas.

Subjektspronomen	Objektspronomen
jag	
	dig
han	
	henne
den	
	det
vi	
	er
de	

B Skriv objektspronomen.

Exempel:

– Vill du träffa _mig_ (jag) på måndag?

1 – Tyvärr, jag kan inte träffa _____ (du) då. Jag ska träffa Jessica.

   – Vad roligt! Hälsa _____ (hon).

2 – Förlåt, kan jag fråga _____ (du) en sak?

   – Absolut!

3 – Ulf och Lena! Vill ni komma hem till _____ (vi) på lördag? Jag vill

   bjuda _____ (ni) på middag.

   – Ja, vi kommer gärna till _____ (ni).

4 – Jag har ett problem.

   – Prata med dina föräldrar!

   – Nej, jag vill inte prata med _____ (de). De förstår _____ (jag) inte.

5 (*På en fest*).

   – Berit! Jag måste presentera _____ (du) för mina vänner,

   Oscar och Maria. Du har inte träffat _____ (de).

6 – Jag såg Olle idag på stan, men han hälsade inte på _____ (jag).

   – Oj, han kanske inte såg _____ (du).

7 – Jag måste skriva ett mejl till Samira. Jag ska skicka _____ (hon)

   några bilder från festen.

   – Ja, hälsa från _____ (jag).

   – Det ska jag göra.

8 – Vet du vad Kenneth gör nu?

   – Nej, jag ska ringa _____ (han) ikväll och fråga.

9 – När träffade du Kyoko och Brian senast?

   – Det var igår. Jag fikade med _____ (de) på ett café på Stortorget.

2 Relativt pronomen: som

Jag har en syster. Hon är advokat.
Jag har en syster som är advokat.

Relativt pronomen: *som*

Skriv om meningarna med *som*.

1 Jag har en morbror. Han är läkare.

2 Hannah har en moster. Hon heter Maria.

3 Sven har en farbror. Han bor i Kairo.

4 Eva har två bröder. De pratar kinesiska.

5 Lisa har en morbror. Han bor på Nya Zeeland.

3 Possessiva pronomen

min/mitt/mina	vår/vårt/våra
din/ditt/dina	er/ert/era
hans	deras
hennes	

Possessiva pronomen

Skriv rätt pronomen med orden till vänster.
Exempel:

jag en mamma	Jag måste ringa _min mamma_____.
vi en bil	_Vår bil_____ är ny.
vi ett hus	1 Vi köpte _____ 1989.
de biljetter	2 _____ kostade 1 000 kronor.
han en pappa	3 _____ arbetar på en bank.
hon en chef	4 Jag träffade _____ igår.
ni kusiner	5 Varifrån kommer _____?

Kopiering av detta engångsmaterial är förbjuden enligt lag och gällande avtal.

KAPITEL 6 • 55

du ett namn	6 Hur uttalar man _____?
ni ett piano	7 Hur gammalt är _____?
jag systrar	8 _____ bor i Aten.
du böcker	9 Var är _____?
ni en katt	10 Jag tycker om _____!
jag ett telefonnummer	11 _____ är 32 43 58.

4 Possessiva pronomen och adjektiv efter verb

Min bil är fin och stor.
Mitt hus är fint och stort.
Mina bilar är fina och stora.

Possessiva pronomen har samma former som adjektiv:
min – fin, mitt – fint, mina – fina
min – stor, mitt – stort, mina – stora

A Skriv meningar med possessiva pronomen och adjektiv.
Exempel:

| han en familj stor | ⟶ *Hans familj är stor.* |

1	hon en bok romantisk	4	jag ett kaffe varm
2	du ett hus fin	5	de bullar god
3	han en hund gullig	6	ni filmer rolig

B Skriv fem egna exempel.

5 Verb: verbgrupper

	Imperativ	Infinitiv	Presens	Preteritum
Grupp 1	tala!	tala	talar	talade
Grupp 2A	bygg!	bygga	bygger	byggde
Grupp 2B	res!	resa	reser	reste
Grupp 3	(bo!)	bo	bor	bodde
Grupp 4 (SPECIAL):	skriv!	skriva	skriver	skrev
	(dö!)	dö	dör	dog

Verbgrupper 1–4
Grupp 1: har ett *a* i alla former, presens *-ar*, preteritum på *-de*.
Grupp 2a: imperativ slutar på konsonant (b, d, g, v, m, n), presens *-er*, preteritum på *-de*
Grupp 2b: imperativ slutar konsonant (k, p, s, t, x), presens *-er*, preteritum på *-te*
Grupp 3: imperativ och infinitiv slutar på lång vokal (inte *-a*), presens *-r*, har preteritum på *-dde*
Grupp 4 (SPECIAL): byter ofta vokal mellan presens och preteritum.
Se verblistan på www.nok.se/rivstart

Fyll i formerna som fattas. Vilken verbgrupp är verben?

	Imperativ	Infinitiv	Presens	Preteritum	Verbgrupp
1	flytta!	flytta	flyttar	flyttade	Grupp 1
2				ringde	
3				gifte	
4				fick	
5	mejla!				
6				läste	
7			träffar		
8		må			
9				började	
10			hör	hörde	
11				kom	
12				reste	
13			gör	gjorde	
14		bo			
15				hade	
16				besökte	

6 Pronomen: subjekt eller objekt?

 Byt ut namnen mot subjektspronomen eller objektspronomen.
Exempel:

Maria träffar Sofia.

Hon träffar henne.

1 Peter träffar Erik.

2 Peter och Erik träffar Maria.

3 Maria träffar Peter och Erik.

4 Maria träffar Erik.

5 Sofia träffar Maria.

6 Peter träffar Maria och Sofia.

7 Peter träffar Sofia.

8 Maria och Sofia träffar Erik.

7 Prepositioner

Skriv rätt preposition.

Jag ska berätta _____ min vän Knut. Han är mycket intresserad _____ tulpaner,

1
2

så han flyttade _____ Nederländerna förra året. Där bor han _____ ett litet hus.

3
4

_____ helgerna hjälper han en granne _____ trädgården.

5
6

_____ fredags ringde Knut _____ mig och vi pratade _____ hans jobb.

7
8
9

I mars var han _____ en stor blomkonferens som var fantastisk. Nu ska Knut börja

10

forska _____ tulpaner!

11

Repetera

8 Subjektspronomen, objektspronomen och possessiva pronomen

Skriv ett pronomen som passar.

1 – Vad gjorde ni i helgen?

– _____ döttrar och _____ söner var hemma hos _____.

_____ åt middag tillsammans.

2 – Vet du hur det är med Ulrika?

– Ja, jag träffade _____ igår och _____ mår bra.

3 – Där är Kyoko och Brian. Jag ska fråga _____ om _____

vill fika med mig.

4 – Vad heter den där killen?

– _____ heter Ulf. Ska jag presentera _____ för _____?

– Ja gärna!

5 – Jag pratade med Nils igår. _____ föräldrar mår inte så bra.

– Vad tråkigt.

9 Preteritum + tidsadverb

A Ändra till tidsadverb i dåtid.
Exempel:

sommar → *i somras*

1	vinter	_____	4 vår	_____
2	tisdag	_____	5 höst	_____
3	fredag	_____	6 måndag	_____

B Skriv meningar i preteritum.
Exempel:

> jag badar mycket sommar

> ⟵◯ *Jag badade mycket i somras.*

1. vad gör ni vinter?

2. tränar du tisdag?

3. hon är på jobbresa fredag.

4. det är kallt vår.

5. de flyttar till Sverige höst.

6. vi går på teater söndag.

10 Adjektiv efter verb

Skriv meningar med possessiva pronomen och adjektiv.
Exempel:

> jag hus fin

> ⟵◯ *Mitt hus är fint.*

1. hon piano fin

2. ni katt trött

3. de syster trevlig

4. du böcker tråkig

5. han blommor fin

6. hon väska dyr

7. jag dator billig

8. ni barn rolig

9. vi hundar glad

10. hon kusiner pigg

11 Verbgrupper

Vilken verbgrupp?

1	gick	_____	5	ville	_____	9 var _____
2	stannade	_____	6	åt	_____	10 somnade _____
3	ringde	_____	7	tittade	_____	11 mådde _____
4	beställde	_____	8	tyckte	_____	12 reste _____

12 Substantiv: former

Skriv formerna som fattas. SPECIAL är markerade med*. (Se textboken s. 231.)

Singular: obestämd form	Singular: bestämd form	Plural: obestämd form
en flicka		
	mössan	
		kronor
en häst		
	dagen	
		tidningar
en ingenjör		
	helgen	
		konstnärer
en chef		
ett piano		
	Nobelpriset	
		författare
en uppfinnare		
en son*		
en bok*		
en förälder*		

13 Siffror

Skriv med siffror.

1 två _____

2 sju _____

3 åtta _____

4 tretton _____

5 trettio _____

6 sjutton _____

7 tjugosju _____

8 etthundrafemtiofyra _____

9 ettusenniohundrafyrtiotre _____

10 tjugohundraelva _____

11 nittonhundrafemtiosju _____

12 sjuttio _____

14 Klockan

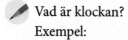 Vad är klockan?
Exempel:

	10:15	_kvart över tio_ _____
1	19:25	_____
2	22:45	_____
3	00:25	_____
4	7:30	_____
5	23:35	_____
6	2:00	_____
7	5:25	_____
8	8:15	_____
9	11:35	_____
10	15:45	_____

7

1 Indefinita pronomen: någon/något/några

någon (nån) ansiktskräm
något (nåt) hårvax
några strumpor

Indefinit pronomen: *någon/något/några.*

I satser utan *inte* när det inte är viktigt vilken.
Markus köpte ett hårvax. = Talaren tänker på ett specifikt hårvax.
Markus köpte något hårvax. = Talaren vet inte exakt vilket.
Köp något hårvax! = Det är inte viktigt vilket hårvax.

I frågor har vi ofta *någon/något/några* när substantivet är obestämt:
Har du någon surfplatta?

inte någon = ingen; inte något = inget; inte några = inga
Exempel:
Jag köpte inget hårvax = Jag köpte inte något hårvax.

Skriv *någon, något* eller *några.*

1 – Har du _____ cykel?

   – Ja, jag köpte en förra veckan.

2 – Vart ska du gå?

   – Jag måste köpa _____ gott bröd till ikväll.

3 – Har ni _____ bra vin från Italien?

   – Ja, visst. Det här till exempel.

4 – Har du _____ pengar?

   – Nej, tyvärr.

5 – Vill du följa med och shoppa?

   – Gärna. Jag måste köpa _____ schampo.

6 – Har du _____ kavaj?

– Ja, tre stycken faktiskt.

7 – Går det _____ buss efter klockan tio ikväll?

– Ja, det går en halv elva.

8 – Har du inte _____ löparskor?

– Nej, men jag ska köpa ett par snart.

9 – Har du _____ svensk-svensk ordbok?

– Ja, som app.

10 – Har du _____ svenska kollegor?

– Ja, ganska många faktiskt.

2 Adjektiv

A Skriv motsatsen.
Exempel:

modern ___*omodern*___

1 dyr	_____		7 liten	_____
2 ny	_____		8 mörk	_____
3 hård	_____		9 god	_____
4 rolig	_____		10 snygg/fin/vacker	_____
5 bra	_____		11 bred	_____
6 kort	_____			

B   Välj adjektiv från A (motsatsorden också) och skriv dem i rätt form där de passar in. Flera alternativ kan vara rätt.

1   Erik är ganska _____, bara 165 centimeter.

2   Den här bilen är _____. Den kostar en miljon.

3   Jag somnade i soffan. Teveprogrammet var så _____.

4   Den här sängen är _____, bara 80 centimeter.

5   Vårt hus är _____. Det är byggt 2012.

6   Staden har 14 miljoner invånare. Den är _____!

7   Min mormor är _____. Hon är 104 år.

8   Jag tycker inte om den här filmen. Den är ganska _____ faktiskt.

9   Det här pianot var _____. Det kostade bara 300 kronor.

10 Vår bil är _____. Man kan bara sitta tre personer i den.

11 Ulrika är ganska _____, 180 centimeter.

12 Det var en _____ natt. Vi kunde inte se någonting.

3 Indefinita pronomen: ingen/inget/inga

| ingen shopping |
| inget linne |
| inga kläder |

Indefinit pronomen: *ingen/inget/inga*

Det blir ingen shopping den här månaden. = Det blir inte någon shopping den här månaden.
Jag har inget linne. = Jag har inte något linne.
Jag har inga kläder. = Jag har inte några kläder.

Meningar med två verb:
Jag kan inte köpa några kläder den här månaden.

Svenskan har inte dubbla negationer.
Jag har ~~inte inget~~ linne. → *Jag har inte något linne./Jag har inget linne.*

C Skriv *ingen, inget* eller *inga.*

1 – Jag har _____ lägenhet, _____ arbete och _____,
   vänner. Vad ska jag göra?

   – Stackars dig!

2 – Har du _____ barn?

   – Nej, men jag har tre hundar. Det är toppen!

3 – Vi har _____ kaffe hemma. Kan du köpa det efter jobbet?

   – Absolut!

4 – Jag måste gå till kiosken, för jag har _____ cigarretter.

   – Åh, kan du köpa ett paket tuggummi till mig då?

   – Visst.

5 – Vi kan inte åka till landet den här helgen, för vi har _____ bil just nu.

   – Nähä, vad synd.

6 – Ska vi gå på konserten ikväll?

   – Tyvärr, det fanns _____ biljetter kvar.

7 – Har du _____ svarta skor?

   – Nej, faktiskt inte.

8 – Ska vi ta en kopp kaffe?

   – Ja, gärna. Men vi har _____ mjölk hemma.

4 Substantiv: bestämd form plural

	Singular		Plural	
	Obestämd form	Bestämd form	Obestämd form	Bestämd form
1	en lampa	lampan	lampor	lamporna
2	en säng	sängen	sängar	sängarna
3	en madrass	madrassen	madrasser	madrasserna
4	ett täcke	täcket	täcken	täckena
5	ett lakan	lakanet	lakan	lakanen
	en lärare	läraren	lärare	lärarna

en-ord → *na*
ett-ord som slutar på vokal i obestämd form singular → *a* (grupp 4)
ett-ord som slutar på konsonant i obestämd form singular → *en* (grupp 5)

A Skriv obestämd och bestämd form plural.

en kamera   en sak   en jacka   en mobil   en surfplatta   ett tält
en garderob   ett linne   en slips   en kvinna   en klänning   ett barn

Exempel:

Singular obestämd	Singular bestämd	Plural obestämd	Plural bestämd
en kamera	kameran	kameror	kamerorna

B Skriv substantiven i bestämd form plural.

1 Olof och Katrin ska flytta ihop. De tittar på tre hus och tre lägenheter, men

_____ är för dyra och _____ är för små.
   (hus)   (lägenhet)

2 Arvid är i gallerian och provar några skjortor och kavajer. Han tycker

om _____ , men _____ passar inte så bra.
      (skjortor)   (kavajer)

3 Gerhard ska göra en fruktsallad och behöver köpa äpplen, bananer och

vindruvor. _____ kostar 23 kr kilot, _____ 19 kr
       (äpplen)   (bananer)

och _____ 34 kr.
      (vindruvor)

4 Emma ska ha en släktfest, men _____ och två av
                                       (mostrar)

_____ kan inte komma.
    (kusiner)

5 Jens ska köpa en present till Annika. Ska han köpa blommor eller några

böcker? Nja, _____ är inte så fina och _____ är
              (blommor)   (böcker)

lite tråkiga. Han köper choklad i stället.

5 Adjektiv: komparation

Grundform	Komparativ	Superlativ
billig	billigare	billigast
dyr	dyrare	dyrast
HALVSPECIAL		
vacker	vackrare	vackrast
SPECIAL		
bra	bättre	bäst
dålig	sämre	sämst
gammal	äldre	äldst
liten	mindre	minst
lång	längre	längst
mycket	mer	mest
många	fler	flest
stor	större	störst

Se Textboken s. 234–235 för fler exempel på halvspecial och special.

A Skriv meningar med jämförelser.

Exempel:

billig dyr	Mössan är _billigare än_ slipsen.
	Slipsen är _dyrare än_ mössan.
	Strumporna är _billigast_ .

liten stor	1 Katten är _____ hunden.
	2 Hunden är _____ råttan.
	3 Råttan är _____ .
	4 Hunden är _____ .

Anton   Joel   Tom

lång kort	5 Joel är _____ Tom.
	6 Tom är _____ Anton.
	7 Tom är _____ .
	8 Anton är _____ .

CONTRARY ADJECTIVE

B Skriv en adjektivmotsats i komparativ.
Exempel:

Den här sängen är så hård. Jag vill ha en __mjukare__ .

1 – Den här kameran är ganska dyr. Har ni någon _____?

– Då har vi den här till exempel.

2 – Min dator är ganska dålig nu. Jag skulle vilja ha en _____.

– Du kanske ska köpa en ny?

3 – De här skorna är lite för smala.

– Då ska jag hämta ett par som är _____.

4 – Kaffe är ganska äckligt. Te är mycket _____!

– Jag tycker mer om kaffe.

5 – Den här filmen var rolig! Den vi såg igår var mycket _____.

– Men jag tyckte om båda.

6 – De här byxorna är lite för korta. Har ni några _____?

– Självklart.

7 – Det är ljust i Sverige på sommaren!

– Ja, men på vintern är det mycket _____.

8 – Min lägenhet är så liten. Jag behöver en _____.

C Läs texten här nedanför och stryk under alla adjektiv i komparativ.

Min bror och jag

Min bror, Adam, är längre än jag. Han är 187 cm och jag är 182. Ibland lånar vi kläder av varandra, men vi kan inte ha samma skor, för han har större fötter. Adam tycker om att shoppa och han köper dyrare kläder än jag. Jag är mer intresserad av sport än han och har bättre träningskläder.

Jag är ganska mörk, min bror har ljusare hår än jag. Adams hår är långt, mitt är kortare. Min lägenhet är mindre än Adams, men min bil är finare än hans. Adam har fler barn än jag. Han har tre och jag har två.

D Skriv adjektiven från texten i C i grundform och komparativ.
Exempel:

lång – längre

E Skriv en egen text där du jämför dig själv med en annan person.

6 Prepositioner

Skriv rätt preposition.

_____ en vecka sedan åkte jag _____ stan för att köpa nya löparskor. De
  1   2
hade extrapris _____ skor _____ Sportspecialisten. Jag springer mycket
                    3   4
_____ hårda vägar, så jag behöver bra skor.
  5

En trevlig försäljare hjälpte mig _____ affären. Jag provade skorna och de
                                       6
passade bra. Försäljaren sa att man kunde köpa fyra par strumpor _____ 90
                                                                      7
kronor den här veckan. Perfekt! Sedan visade försäljaren ett jättebra tält _____
                                                                              8
tre personer. Jag tycker om att tälta _____ skogen, men jag har inget bra tält.
                                           9
Så, varför inte ett tält också? Då behöver jag inte låna tält _____ min kompis mer.
                                                                 10

Sedan sa försäljaren att jag måste titta _____ några nya cyklar också. Jag
                                              11
behöver en ny cykel, men de här cyklarna kostade ganska mycket. Men de hade

öppet köp _____ en månad, sa försäljaren, så jag kunde lämna tillbaka den om
              12
jag ville. Jag tog cykeln också. Allt blev ganska dyrt, men jag var glad _____
                                                                             13
alla fall. Men jag kanske ska handla _____ nätet nästa gång _____ stället.
                                          14   15

7 Indefinita pronomen + adjektiv + substantiv

Jag har ingen brun kavaj./Har du någon brun kavaj?
Jag har inget gult linne./Har du något gult linne?
Jag har inga svarta skor./Har du några svarta skor?

Indefinit pronomen + adjektiv +
obestämt substantiv

A Skriv frågor med *någon/något/några*.
Exempel:

blå/skjorta

> *Har du någon blå skjorta?*

1 grön/slips

2 vit/byxor

3 brun/linne

4 röd/skor

5 gul/strumpor

B Skriv meningar med *ingen/inget/inga*.
Exempel:

röd/kavajer

> *Jag har inga röda kavajer.*

1 ful/tavlor

2 dyr/bil

3 modern/dator

4 grön/äpple

5 dålig/böcker

Repetera

8 Demonstrativa pronomen och substantiv

A Skriv rätt demonstrativt pronomen: *den här/där*, *det här/där* eller *de här/där*.

Barn: Snälla pappa, kan du hjälpa mig med _____ läxan? Jag förstår inte.
1

Pappa: Javisst. Vad ska man göra?

Barn: Man ska prata om _____ frågorna och sedan ska man skriva svar
2

på _____ pappret.
3

Pappa: Har du en penna?

Barn: Ja, du kan ta _____ pennan som ligger där borta vid datorn.
4

Pappa: Okej. Var ska vi börja?

Barn: Vi kan börja med _____ frågan.
5

Pappa: Oj, vad svårt. Var är mamma?

B Skriv substantiven i rätt form.

1 – Jag skulle vilja prova den här _____, de här _____,
                               (kjol)   (klänning)

   det här _____ och den här _____.
             (linne)   (tröja)

   – Varsågod, provrummet ligger där.

2 – Titta, här är en massa gamla saker. Vem har skrivit det här _____?
                                                           (brev)

   – Det var farfar.

   – Jaha. Och vem har skrivit de här _____?
                                           (brev)

   – Din mormors mor. Och din morbror har skrivit de här _____.
                                                         (bok)

   – Vad kul!

3 – Ursäkta, hur mycket kostar de här _____ ?
(bulle)

– 25 kronor styck.

– Och den här _____ ?
(smörgås)

– 52 kronor.

– Okej. Jag tar bara de här _____ .
(kaka)

4 – Min kusin är arkitekt. Hon har ritat de där _____ .
(hus)

– Åh, vad fina!

– Det tycker jag också. Hon har ritat det här _____ också.
(hus)

9 Ordföljd och preteritum

Ändra texten *En dag på stan* till preteritum och skriv de understrukna orden först i meningarna.
Exempel:

> *Hela dagen var jag på stan med min kompis Anna och shoppade. Anna ...*

En dag på stan

Jag är på stan med min kompis Anna och shoppar hela dagen. Anna vill köpa en massa kläder och jag följer med som hjälp. Anna ser en röd klänning i en affär. Hon provar klänningen men hon tycker att den är lite för stor. Vi går till en annan affär sedan. Anna tittar på klänningar, blusar, byxor och skor där, men hon hittar ingenting snyggt. Anna vill gå till gallerian då, för de har rea. Jag börjar bli lite trött, men vi går dit i alla fall. Anna får hjälp av en försäljare i gallerian. Han hämtar olika kläder som Anna provar, men ingenting passar. Jag säger att vi kanske kan fika lite efter två timmar. Jag behöver kaffe, men Anna har inte tid med någon fikapaus. Det blir en lång dag. Vi är färdiga klockan sju på kvällen.

8

1 Verb: presens perfekt (har + supinum)

> Jag har läst fem böcker av Strindberg.
> Jag har aldrig varit i Kina.
>
> Hon har studerat svenska i två år nu.

Tidpunkten är inte intressant

Tiden är inte slut. (Hon studerar fortfarande.)

Verbgrupper	Imperativ		Supinum
Grupp 1	prata	+ t	pratat
Grupp 2a	ring	+ t	ringt
Grupp 2b	köp	+ t	köpt
Grupp 3	bo	+ tt	bott
Grupp 4a (it-verb)	skriv	+ it	skrivit
Grupp 4b (SPECIAL)	få		fått

A Skriv rätt form av verbet.

bo!	1 Marie har _____ i Paris.
ring!	2 Har du _____ farfar?
se!	3 Har du _____ Eiffeltornet?
prata!	4 Mikaela har _____ i telefon i en timme nu!
cykla!	5 Agneta har _____ till jobbet.
stäng!	6 Vem har _____ fönstret?
träffa!	7 Har du _____ min kusin?
rök!	8 Hur länge har du _____ ?

Kopiering av detta engångsmaterial är förbjuden enligt lag och gällande avtal.

KAPITEL 8 • 75

B Skriv verben från rutan i supinum där de passar in.

| sjung | baka | spring | kör | hoppa | dansa | var | rid |

1 Agnes har _____ i en kör i tre år och har _____ salsa i fem år.

2 Nils har _____ maraton. Han är trött nu.

3 Jag har _____ mazariner. Vill du smaka?

4 Jenny har _____ kamel i Tunisien. Hon har _____ där många gånger.

5 Jag har _____ fallskärm flera gånger. Det är roligt.

6 Hon har aldrig _____ motorcykel, men hon skulle gärna vilja göra det.

2 Ordningstal och månader

När fyller de olika personerna år?
Exempel:

Pernilla (34) 24/7

Pernilla fyller trettiofyra år den tjugofjärde juli.

1 Birgitta (29) 6/11	4 Hannah (12) 21/9
2 Lars (57) 3/2	5 Mikael (33) 4/10
3 Frans (41) 12/4	6 Glenn (68) 7/8

3 Verb: preteritum eller presens perfekt

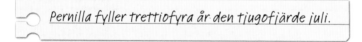

Jag har sjungit karaoke en gång. Det var 2009.
Jag har dansat tango i två år nu.
– Har du hoppat fallskärm?
–Ja, jag hoppade fallskärm på min födelsedag.

Tidpunkten är inte intressant =
presens perfekt
Aktiviteten fortsätter NU =
presens perfekt
Specifik tid i DÅ (dåtidsadverb) =
preteritum

Ringa in rätt verbform.

1 – I somras *var jag/har jag varit* i Abisko.

– Åh, vad härligt. *Såg du/Har du sett* midnattsolen då?

– Ja! Det *var/har varit* jättefint!

2 – *Var du/Har du varit* på Grönland någon gång?

– Nej, jag *var aldrig/har aldrig varit* där.

3 – I måndags *var jag/har jag varit* på salsakurs. Jag *dansade/har dansat*

salsa i 5 år.

– Vad kul! Jag *dansade aldrig/har aldrig dansat* salsa, men jag vill gärna prova.

4 – Hur länge *rökte du/har du rökt*?

– Jag *rökte/har rökt* i 10 år nu.

5 – I lördags *var jag/har jag varit* på bio.

– Vad *såg du/har du sett* för film?

– Jag *såg/har sett* Semesterromans.

4 Adverb: Hem/hemma

> John bor hemma hos Pia.
> John åker hem till Kanada den 23 juli.

| *Hemma* = position |
| *Hem* = destination |

A Skriv *hem* eller *hemma*.

1 – Jag är _____. Vill du komma _____ till mig?

– Ja, gärna.

2 – Jag åker _____ till Ungern om två veckor.

3 – Jag har haft jätteroligt i Amsterdam! Jag bodde _____ hos en kompis.

4 – Jag måste ringa _____ till Paris. Min mamma är sjuk.

5 – Oj, klockan är mycket. Jag måste gå _____.

6 – I somras åkte vi _____ till Rumänien i två veckor. Det var fint.

– Vad härligt! Vi var här _____ i Sverige.

B Skriv 5 meningar med *hem* och *hemma*.

5 Vad är det för väder?

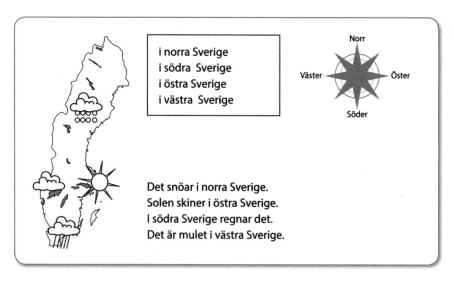

i norra Sverige
i södra Sverige
i östra Sverige
i västra Sverige

Norr
Väster — Öster
Söder

Det snöar i norra Sverige.
Solen skiner i östra Sverige.
I södra Sverige regnar det.
Det är mulet i västra Sverige.

A Titta på kartan och skriv en liten text om vädret i Sverige.

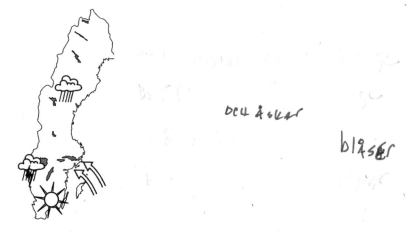

det åskar

blåser

B Hur är vädret i ditt land nu? Skriv en liten text om det.

6 Hjälpverb

- Får man röka här inne?
- Nej, det får man inte, tyvärr.

- Måste man ge dricks?
- Nej, man behöver inte ge dricks.

- Hinner vi gå på Moderna museet nu?
- Nej, tyvärr. Det stänger klockan åtta.

- Orkar du springa 4 mil?
- Javisst. Jag har sprungit maraton flera gånger.

- Doktorn sa att jag borde sluta röka.
- Ja, det borde du!

> får/får inte = tillåtelse/förbud
> måste ⟷ behöver inte
> hinner = har tid
> orkar = har energi
> borde = råd/rekommendation

A Välj hjälpverb ur rutan och skriv dem där de passar in. Flera alternativ kan vara rätt.

får	behöver	hinner	borde	orkar	måste

1   – Jag har så mycket att göra. Jag _____ inte hjälpa dig nu.

2   – Jag har prov imorgon. Jag _____ gå hem och plugga.

3   – Man _____ får _____ inte parkera på den här gatan. Det är förbjudet.

4   – På den här restaurangen _____ man inte boka bord. Det finns alltid lediga bord.

5   – Jag har inte tränat så mycket sista tiden. Jag _____ *or BORDE* börja igen.

6   – Jag är så trött. Jag _____ inte plugga.

7   – _____ jag titta i din bok?

    –Ja, absolut!

8   – Du _____ inte laga mat. Jag har gjort det!

9   – Lektionen börjar snart. Vi _____ inte fika nu. *HINNER*

10 – Det är soligt! Du _____ ha solkräm.

B Välj hjälpverb ur rutan och skriv dem där de passar in. Flera alternativ kan
vara rätt. Du kan använda samma hjälpverb flera gånger.

behöver	borde	brukar	får	hinner	kan	måste	orkar	ska	vill
NEED	*SHOULD*	*Usually*	*may*	*HAVE TIME*	*CAN*	*MUST*	*HAVE ENERGY*	*Will*	*WANT TO*

Exempel:

    – __Ska_____ vi åka till landet imorgon?

               or vill or brukar

1 – _____ du tala engelska?

2 – Varför ____ *ska/vill* du studera till tandläkare?

    – Jag är intresserad av tänder.

           or behöver

3 – _____ man göra mycket läxor på din kurs?

    – Ja, vår lärare är så sträng!

           or brukar or ska

4 – Vad _____ du dricka till frukost?

    – Kaffe med mjölk.

        vill

5 – _____ du gifta dig med mig?

    – Nja, jag vet inte.

           or kan?

6 – _____ man äta glass på bussen?

    – Nej, tyvärr.

7 – Var _____ man köpa telefonkort?

           or ska

8 – _____ du gå redan?

    – Ja, jag är jättetrött!

           or borde or måste

9 – Du _____ träna mer!

           or ska

10 – Vad _____ du göra imorgon?

           behöver

11 – Du _____ inte diska. Jag kan göra det.

12 – Filmen börjar snart. Vi _____ inte dricka kaffe nu.

    – Okej, vi kan göra det efter filmen.

13 – Kan du gå och köpa kaffe till mig?

           or kan

    – Nej, jag _____ inte gå. Jag är så trött!

C Skriv färdigt meningarna. Använd din fantasi.
Exempel:

Jag ska... men först måste jag...

> *Jag ska ringa mamma. Men först måste jag läsa mina mejl.*

1 Christoffer vill... men idag måste han...

2 Hedvig kan inte... så hon borde...

3 Man får inte... men man kan...

4 Per brukar... men han borde...

5 Ikväll ska vi... så vi kan inte...

6 Jag hinner inte... Jag måste...

7 Du behöver inte... du kan...

8 Ska vi... eller ska vi...?

9 Får man... eller måste man...?

10 Måste du...? Kan du inte... i stället?

D Skriv en liten text eller dialog. Använd så många hjälpverb du kan.
Exempel:

> *Jag vill gå ut ikväll, men jag kan inte. Jag måste...*

7 Prepositioner

Skriv rätt preposition.

John, en kille _____ Kanada, har alltid varit intresserad _____ Sverige men
                    1   2

han har aldrig varit där. Han har studerat svenska _____ två år nu och han
                                                          3

pratar ganska bra.

Idag ska John resa _____ Stockholm. Han har läst väderprognoser _____
                          4   5

nätet och det ska bli mycket sol och bara lite regn.

Han ska bo hemma _____ Pia, som har en stor lägenhet mitt i stan. Pia och
                          6

John ska åka _____ Malmö och bo _____ vandrarhem. Sedan ska de
                    7   8

åka _____ havet och tälta.
         9

8 Verb: alla former

Verbgrupp	Imperativ	Infinitiv	Presens	Preteritum	Supinum
1	prata!	prata	pratar	pratade	pratat
2a	ring!	ringa	ringer	ringde	ringt
2b	köp!	köpa	köper	köpte	köpt
3	bo!	bo	bor	bodde	bott
4a (it-verb)	ät!	äta	äter	åt	ätit
4b (SPECIAL)	gå!	gå	går	gick	gått

Grupp 4a är it-verb (byter vokal, har inte -de i preteritum och har supinum på -it).
Grupp 4b är SPECIAL (byter ofta vokal men har inte supinum på -it).

 Skriv alla former av verben. Verbgruppen står inom parentes. Se verblistan på
www.nok.se/rivstart
Exempel:

Imperativ	Infinitiv	Presens	Preteritum	Supinum
var!	vara	är	var	varit

~~vara (4b)~~	bo (3)	ha (4b)	boka (1)	gå (4b)
göra (4b)	prata (1)	promenera (1)	resa (2b)	ta (4a)
besöka (2b)	handla (1)	planera (1)	paddla (1)	läsa (2b)
se (4b)	köpa (2b)			

Repetera

9 Frågeord

Skriv ett frågeord som passar. Du kan använda samma frågeord flera gånger.

> hur   hur länge   hur mycket/många   vad   var
> varför   varifrån   vem   vilken/vilket

1 – _____ syskon har du?

   – Tre.

2 – _____ bor du?

   – Hemma hos Pia.

3 – _____ gata bor du på?

   – På Kungsgatan.

   – _____ nummer?

   – 85.

4 – _____ kommer du?

   – Från Ecuador.

5 – _____ är det för fisk?

   – Det är sill.

6 – _____ är det?

   – Det är min faster.

7 – _____ är du i Sverige?

   – Min kille har fått jobb här.

8 – _____ är du i Sverige?

   – Två veckor.

9 – _____ mår du?

   – Inte så bra. Jag är förkyld.

10 – Vi åt en mazarin i går.

   – _____ är det?

   – Det är en kaka med mandel.

11 – _____ ska du träffa ikväll?

   – Björn, vi ska ta en öl.

12 – _____ kostar den här?

   – 57 kronor.

13 – _____ har du spelat fotboll?

   – Tio år.

10 Subjektspronomen och objektspronomen: han och hon, honom och henne

Skriv *han*, *hon*, *honom* eller *henne*.

1 – Vem är det?

– ~~Hon~~ _____ heter Maria.

– Det är första gången jag ser _____ *henne* här på Guldkalven.

– Där är min kompis Martin. _____ är intresserad av musik. Har du träffat _____?

– Nej.

– Då ska jag presentera _____ för dig.

2 – Min dotter är 2 år. _____ *hon* fyller år den 15 oktober. Här är ett foto på _____.

– Åh, _____ är jättefin!

3 – Min lärare heter Johan. Jag ska mejla till _____. _____ är intresserad av svensk musik. Jag ska berätta för _____ om konserten.

11 Verb: infinitiv, presens och presens perfekt

Skriv ett verb som passar i rätt form.

John _____ *sitter/är* på ett kafé och _____ *dricker* en kopp kaffe. Solen _____ *skiner*
      ¹   ²   ³

och det _____ *är* ganska varmt. Han har _____ *varit/promenerat* i Gamla stan och nu ska
            ⁴   ⁵

han _____ *gå* ett mejl till Monica. Ikväll ska Pia och John _____ *åker/går* på
       ⁶   ⁷

Drottningholmsteatern. Pia har _____ *köpt/köper* biljetter. John _____ lite trött.
                                      ⁸   ⁹

Imorgon ska han _____ *e* hem till Kanada.
       ¹⁰

9

1 Gå och åk

Sedan **går** du första till vänster igen.
Går det här tåget till Rinkeby?

Från vilket spår **åker** vi?
Hur mycket kostar det att **åka** till stan?

Verb: *gå* och *åk*
Man *går* med fötterna. = Promenerar.
Man kan inte gå till Amerika från Sverige.

Man *åker* bil, buss, tunnelbana, tåg,
helikopter, flyg o.s.v.

Bussen, tunnelbanan, tåget, flyget *går*
(efter tidtabell eller rutt).

Efter hjälpverben *ska/vill/måste* behöver man
inte ha *gå/åka/köra* (informell svenska).
Jag ska åka till Stockholm. = Jag ska till
Stockholm.

Skriv rätt form av *gå* eller *åk*.
Exempel:

Bussen _går_ klockan 7.08.

1 – Ursäkta, när _____ spårvagnen till Götaplatsen?

– Jag vet inte.

2 – När ska du _____ till Kina?

– Om en månad.

3 – Båten ska _____ _Gå_ klockan 8.00. Nu är klockan 8.30!

– Ja, den är ofta försenad.

4 Jag brukar _____ _åka_ bil till jobbet, men idag fungerar inte bilen.

Jag måste _____ _Gå_.

5 Det tar två timmar att flyga till Paris från Stockholm. Flyget _____ _går_ klockan

14.00. Det är framme klockan 16.00 ungefär.

6   Jag tycker om att _____ till jobbet. Man får bra motion.

7   Jag _____ tåg till Göteborg. Det _____ klockan 16.39.

8   Det är bara 500 meter till affären. Vi behöver inte _____ bil.

    Vi kan _____ .

9   Jag _____ till Sydamerika förra året. Det var jätteintressant!

2 Siffror som substantiv

> Där kan du ta tvåan, fyran eller åttan.

Man kan göra substantiv på -a av siffror.

Man kan inte göra substantiv av 13–19, 20*, 30, 40, 50, 60, 70, 80, 90, 100.

Siffror som substantiv böjer man som grupp 1 (t.ex. en etta, ettan, ettor, ettorna)
*Man kan säga en tjuga, men bara om pengar.

en etta (1:a)	en fyra (4:a)	en sjua (7:a)	en tia (10:a)
en tvåa (2:a)	en femma (5:a)	en åtta (8:a)	en elva (11:a)
en trea (3:a)	en sexa (6:a)	en nia (9:a)	en tolva (12:a)

A   Skriv alla former.

	Obestämd form singular	Bestämd form singular	Obestämd form plural	Bestämd form plural
1	en etta			
2		tvåan		
3			treor	
4				fyrorna
5	en femma			
6		sexan		
7	en femtiåtta			
8		sexhundranittioettan		

B Skriv rätt form av siffrorna.

1 – Hej, kan jag få en gin och tonic, tack.

– Vill du ha en _fyra_ (4) eller _____ (6)?

– En _____ (4), tack.

2 – Hur stort bor ni?

– Vi har en _____ (3) men vi vill byta den mot två _ETTOR_ (1).

3 – Vilket våningsplan jobbar du på?

– På _FEMMAN_ (5) så du kan ta hissen.

4 – Sedan går du till höger till Storgatan. Vi bor i _____ (27).

Välkommen!

– Tack!

5 – Hur passar skorna?

– De här _TRETTOÅTTORNA_ (38) är för små. Har ni några

_OL_ (39)?

– Nej, tyvärr. _URNA_ (39) är slut.

6 – Går tunnelbanan på natten?

– Nej, då kan du ta _HUNDRANITTIOETTAN_ (191) eller

– TVÅAN (192).

7 – Min son går i _ÅTTAN_ (8) och min dotter i _SJUAN_ (7).

8 – Kan du växla en femtiolapp?

– Ja, vänta. Ta den här _TJUGAN_ (20). Jag har några

FEMMOR (5) och några _____ (10) också tror jag …

Ja, titta här. Ta de här _____ (5) och den här _TIAN_ (10).

– Tack!

9 – Min son spelar fotboll med _NITTIOETTORNA_ (91) men han är född 92.

3 Presens som presens futurum

| På tisdag åker vi till stugan. | Presens som presens futurum. Ofta tillsammans med framtidsadverb t.ex. *på tisdag* eller *om ett år*. Presens som presens futurum = neutral information. *Ska* + infinitiv = subjektet vill/bestämmer/ planerar. I många fraser kan man använda båda. |

A Skriv rätt form av verbet.

1 Jag älskar popgruppen Roxette. Roxette ska _____ (spela!) på Globen

i Stockholm i januari. Jag ska _____ (stå!) vid scenen och

_____ SJUNGA (sjung!) med i alla sångerna. De ska _____ *bo* (bo!) på Grand

Hotel och jag ska _____ (vänta!) vid hotellet. Kanske _____ (se!)

jag dem eller kanske _____ (skriv!) de autografer.

2 Jag ska _____ (åk!) till Japan i höst. Flyget _____ (gå!) på morgonen

den 1 september. På planet ska jag _____ (titta!) på film. En vecka

_____ (var!) jag i Tokyo och sedan _____ (åk!) jag till Kyoto. *åker*

I Kyoto ska jag _____ *bo* (bo!) på ett traditionellt japanskt hotell. Jag

ska _____ (ät!) sushi och _____ *dricka* (drick!) te varje dag!

3 – Vad ska du _____ (gör!) när kursen är slut?

– Jag ska _____ (gå!) på nästa nivå. Den _____ (börja!)
   den 4 mars.

– Vad kul! Jag ska _____ (jobba!). Jag ska _____ (arbeta!)
   på en bank.

4 – Ska vi _____ (gå!) och fika?

– Nej, vi _____ (gå!) till lektionen. Den _____ (börja!) om fem
   minuter.

5 – Ska du _____ *komma* (kom!) med på bio?

– Ja, gärna. _____ (vänta!) du fem minuter? Jag _____ (var!) strax

klar med det här, så _____ (kom!) jag också.

B Vilka fraser är presens (NU) och vilka är presens futurum? Skriv p eller pf.
Exempel:

Imorgon åker vi till Öland. _pf_

Vi åker ofta till landet på helgerna. _p_

1 Nu är jag trött. ___   4 Jag åker till Göteborg imorgon. ___

2 Nästa vecka börjar kursen. ___   5 Hon brukar träna på lördagar. ___ P

3 Jag äter alltid frukost klockan sju. ___   6 Vi reser till Paris nästa vecka. ___

4 Tidsprepositioner

– När såg du utställningen?
– Jag såg utställningen för en vecka sedan. (preteritum)

– När går nästa buss?
– Den går om fem minuter. (presens futurum)

Tidsprepositioner NÄR:
för + tid + *sedan* = DÅTID
om + tid = FRAMTID

A Svara på frågorna och använd orden till vänster.
Exempel:

| 2 veckor | När började kursen? |

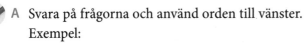
– (Den började) för två veckor sedan.

7 veckor	1 När började du läsa svenska?
3 månader	2 När fyller du år nästa gång?
9 månader	3 När fyllde du år senast?
2 månader	4 När hade du semester senast?
5 månader	5 När ska du ha semester igen?
1 år	6 När träffade du dina föräldrar senast?

om fem
månader

B Kombinera. Dra streck.

1 Jag f   a åka till Australien om en månad.

2 Jag ska a   b Anita för en timme sedan.

3 Jag ska börja universitetet d   c för en vecka sedan.

4 Jag ska träffa e   d om ett år.

5 Jag såg en bra film c   e Peter om en timme.

6 Jag träffade b   f åkte till Australien för en månad sedan.

C Skriv meningar.
   Vad gjorde du för ... sedan?
   Exempel:

   För en vecka sedan var jag i Milano.

   1 ...en vecka...   4 ...ett år...

   2 ...en månad...   5 ...fem år...

   3 ...ett halvår...   6 ...tio år...

D Skriv meningar. Vad ska du göra om ...
   Exempel:

   Om en vecka ska jag åka till Kina.

   1 ...en vecka?   4 ...ett år?

   2 ...en månad?   5 ...fem år?

   3 ...ett halvår?   6 ...tio år?

Kopiering av detta engångsmaterial är förbjuden enligt lag och gällande avtal.

5 Prepositioner

Bageri		Sushi-restaurang		Elektronik-affär		Mataffär	Gym
Delikatess-affär	LILLGATAN				DROTTNINGGATAN		
Skoaffär		Post	Bank	Kiosk			

STORGATAN

Tobaks-affär		Kläd-affär	Korvkiosk	STORTORGET	Hotell	Skola
Kyrka					Blomsterhandel	

Hotellet ligger på Stortorget.
Tobaksaffären ligger i korsningen Storgatan/Lillgatan.
Mataffären ligger mitt emot hotellet på Storgatan.
Sushirestaurangen ligger på Lillgatan vid posten.
Delikatessaffären ligger mellan skoaffären och bageriet på Lillgatan.

mitt mot - across from

vid - next to

mellan - between

Skriv meningar.
Exempel:

– Var ligger bageriet?

– Det ligger på Lillgatan mitt emot sushirestaurangen.

Var ligger ...

1 ... klädaffären?   4 ... elektronikaffären?   7 ... skolan?

2 ... kiosken?   5 ... blomsterhandeln?   8 ... gymmet?

3 ... kyrkan?   6 ... korvkiosken?   9 ... banken?

6 Prepositioner: i eller på?

Jag bor i Stockholm.
Malmö ligger i Skåne.
Var ligger Oslo? Det ligger i Norge.
Jag arbetar på Storgatan.
Vi ses på Stortorget.
Visby ligger på Gotland.
Vi ses på restaurangen!

I + stad/land/region/landskap
På + gata/torg/ö
På + platser med en specifik aktivitet: kafé/
restaurang/teater/bio/universitet/jobbet
o.s.v.

Skriv *i* eller *på*.
Exempel:

Peter bor (Storgatan Uppsala Sverige).

Peter bor på Storgatan i Uppsala i Sverige.

1 Maria bor (Regeringsgatan Stockholm).

2 Gunilla är född (Kiruna Lappland*).

3 Oskar går (universitetet Linköping).

4 Wayan arbetar (Bali Indonesien).

5 Vi ses (sushirestaurangen Nygatan).

6 De säljer grönsaker (Hötorget Stockholm).

7 Affären ligger (Kungsgatan Göteborg).

8 Katarina studerar (Visby Gotland).

9 De fikar varje morgon (ett café Stortorget).

10 Ulf jobbar (en restaurang Skåne).

*ett landskap

Kopiering av detta engångsmaterial är förbjuden enligt lag och gällande avtal.

7 Partikelverb och ordföljd

Fundament	Verb1	Subjekt	Satsadverb	Verb 2	Partikel	
På morgonen	går	jag	alltid	---	av	bussen vid Stortorget.
Nästa månad	ska	jag	säkert	åka	tillbaka	till Kina

Gör meningar med partikelverben.
Exempel:

går av jag vid Stortorget bussen alltid	På morgonen …

—○ *På morgonen går jag alltid av bussen*
—○ *vid Stortorget.*

åkte tillbaka Laurent ofta till Paris	1 1999 …
går hem från skolan Aisha alltid klockan fyra	2 På måndagar …
kommer in på spår fem tåget strax	3 Nu …
checka in ska klockan fyra vi	4 Imorgon …
tycker om Elin inte	5 Äpplen …
hälsa på de ska oss	6 Imorgon …

Repetera

8 Relativt pronomen: som

Skriv meningar med *som*.
Exempel:

Jag har en faster. Hon är biolog.

Jag har en faster som är biolog.

1 Jag har en kusin. Han är ekonom.
2 Det är en stad. Den är mycket stor.
3 Vi har en hund. Han heter Rufus.
4 Jag läser en bok. Den heter Kärleken.
5 Vi träffar en vän. Han kommer från Kanada.

9 Komparation

Skriv formerna som fattas.

	Positiv	Komparativ	Superlativ
1	Rolig	roligare	roligast
2	Hungrig	Hungrare	hungrigast
3	snabb		
4		mysigare	
5			finast
6	ovanlig		
7		bättre	
8			längst

10 Substantivets former

Skriv formerna som fattas.

	Singular obestämd form	Singular bestämd form	Plural obestämd form	Plural bestämd form
1	en gata			
2		ön		
3		landskapet		
4			kusiner	
5			länder	
6				restaurangerna
7				universiteten
8			städer	
9		torget		
10			broar	

11 Verb: Preteritum eller presens perfekt

Skriv ett verb i preteritum eller presens perfekt.

1 Ola _____ till Indien 2013.

2 Marie _____ tango i fredags.

3 Kurt _____ elefant i Thailand många gånger.

4 Jennifer _____ motorcykel från Göteborg till Stockholm igår.

5 Nils-Ove _____ i kör i höstas. Nu sjunger han inte.

6 Pjotr _____ fallskärm många gånger.

10

1 Lucktext

Skriv de ord som fattas.

Sverige _____ på den skandinaviska _____ i norra

1   2

Europa. Polcirkeln går genom den norra delen av Sverige.

_____ ser mycket olika ut i de norra och södra delarna _____

              3   4

landet. I norr finns mycket fjäll och skogar, men i _____ är landskapet plattare.

                                                             5

Man är aldrig speciellt _____ ifrån vatten. Kustlinjen är lång och det finns

                                             6

cirka 100 000 _____. Skärgårdarna _____ kusterna har tiotusentals

                                7   8

öar. De största _____ är Gotland och Öland, som ligger i Östersjön.

                                           9

Sverige är ett av Europas större länder till _____, men här bor bara lite mer

                                                        10

än 9,5 miljoner människor (2013). Av _____ bor ungefär 85 procent i den

                                                              11

södra tredjedelen.

Sveriges ursprungsbefolkning är samerna. De har ett eget _____,

                                                                                  12

samiska, och ett eget _____ som heter Sametinget. Samerna har bott

                                                              13

i Sverige mycket _____, kanske sedan istidens slut. Idag _____

                                          14   15

det cirka 20 000 samer i norra Sverige. Det bor också många samer i norra Norge,

Finland och Ryssland. I Tornedalen, i norra Sverige, bor också grupper som talar

meänkieli.

Förut var Sverige ett fattigt jordbrukarland och ungefär 1,5 miljoner svenskar

_____ mellan 1850 och 1930, mest till Nordamerika. Men på
                16

1900-talet började industrin _____ mer och mer i Sverige och man behövde
                              17

_____. Därför kom det många människor från de nordiska länderna
            18

och från Sydeuropa _____ 1950- och 1960-talet för att arbeta inom industrin.
                    19

På 1970-talet gick Sveriges ekonomi sämre och man _____ politiken
                                                        20

för invandring. Nu blev det svårare att komma till Sverige för att arbeta. Samtidigt

öppnade man Sverige mer för flyktingar som _____ asyl. Många från
                                                 21

_____ annat Latinamerika, Mellanöstern och forna Jugoslavien har
            22

har kommit till Sverige efter det. Från år 2008 har det _____ lättare igen
                                                              23

för personer som inte är EU-medborgare att invandra till Sverige för att arbeta.

Nästan en femtedel av alla som bor i Sverige idag är _____ utomlands,
                                                           24

eller har föräldrar som båda kommer från ett _____ land.
                                                  25

_____ svensk ekonomi är exporten mycket viktig. Sverige har länge
                26

_____ trä, pappersmassa, järn och stål. Men nu är också annan export
                27

viktig, som elektronik, telekom och musik. Exempel _____ svenska artister
                                                         28

som är och har varit populära utomlands är ABBA, Roxette, Ace of Base, Cardigans

och Robyn.

2 Vad vet du om Sverige och svenskarna?

Kryssa för rätt alternativ.

1 Kebnekaise, Sveriges högsta berg, är ca... meter högt.
- ☐ 2 100
- ☐ 2 700
- ☐ 1 800

2 Sverige har cirka... sjöar.
- ☐ 50 000
- ☐ 100 000
- ☐ 150 000

3 Samernas parlament heter...
- ☐ Sameriksdagen.
- ☐ Samehuset.
- ☐ Sametinget.

4 Ungefär 85 procent av Sveriges befolkning bor i... Sverige.
- ☐ södra
- ☐ mellersta
- ☐ norra

5 Sveriges nationaldag är den...
- ☐ 17 maj.
- ☐ 6 juni.
- ☐ 12 juli.

6 ... har fått nobelpriset i litteratur.
- ☐ Tomas Tranströmer
- ☐ August Strindberg
- ☐ Astrid Lindgren

7 Sveriges största ö heter...
- ☐ Gotland.
- ☐ Visingsö.
- ☐ Öland.

8 Det vanligaste kvinnonamnet i Sverige är... (2012)
- ☐ Eva.
- ☐ Maria.
- ☐ Anna.

9 ... var en svensk skådespelerska.
- ☐ Astrid Lindgren
- ☐ Selma Lagerlöf
- ☐ Greta Garbo

10 ... var utrikesminister i Sverige.
- ☐ Anna Lindh
- ☐ Olof Palme
- ☐ Raoul Wallenberg

11 Ungefär... svenskar emigrerade mellan 1850 och 1930.
- ☐ 3,5 miljoner
- ☐ 2,5 miljoner
- ☐ 1,5 miljoner

12 ... är Sveriges andra största stad.
- ☐ Göteborg
- ☐ Linköping
- ☐ Malmö

13 Sverige exporterar mycket...
- ☐ koppar.
- ☐ järn.
- ☐ guld.

14 Det vanligaste efternamnet i Sverige är... (2012).
- ☐ Andersson.
- ☐ Karlsson.
- ☐ Nilsson.

15 Sveriges största sjö heter …
- ☐ Mälaren.
- ☐ Vänern.
- ☐ Vättern.

16 Författaren till Pippi Långstrump heter …
- ☐ Astrid Lindgren.
- ☐ August Strindberg.
- ☐ Selma Lagerlöf.

17 Jenny Lind var en stor …
- ☐ skådespelerska.
- ☐ operasångerska.
- ☐ fotograf.

18 … har skrivit Millennium-serien.
- ☐ Ingmar Bergman
- ☐ Henning Mankell
- ☐ Stieg Larsson

19 Ett hekto är …
- ☐ 10 gram.
- ☐ 100 gram.
- ☐ 200 gram.

20 De fem officiella minoritetsspråken i Sverige är …
- ☐ finska, samiska, meänkieli, romani chib och danska.
- ☐ norska, samiska, finska, jiddisch och bosniska.
- ☐ finska, samiska, meänkieli, romani chib och jiddisch.

3 Geografi

Kombinera.

Städer

_____ Göteborg

_____ Jönköping

_____ Karlstad

_____ Kiruna

_____ Linköping

_____ Malmö

_____ Mora

_____ Stockholm

_____ Umeå

_____ Uppsala

_____ Östersund

Öar

_____ Gotland

_____ Öland

Sjöar

_____ Mälaren

_____ Vänern

_____ Vättern

11

1 Också/inte heller

Anza är trött på att hänga på krogen. Krister är också trött på krogen. (= Krister också.)
Anza kan inte laga mat. Putte kan inte heller laga mat. (= Inte Putte heller.)

Om den första meningen har en negation: också inte → inte heller

 A Läs meningarna 1–5. Svara med *Jag också./Det gör inte jag.*
Eller: *Inte jag heller./Men det gör jag.*
Exempel:

– Jag tycker inte om blodpudding.

> – Inte jag heller./Men det gör jag.

– Jag tycker om blodpudding!

> – Jag också./Det gör inte jag.

1 – Jag älskar Sverige! *Jag också Älskar också Sverige*
2 – Jag gillar inte techno. *Jag inte heller gillar inte heller Techno*
3 – Jag älskar att dansa. *Jag Älskar också att dansa*
4 – Jag åker inte skateboard. *Jag inte heller åker skateboard*
5 – Jag tycker att Ingmar Bergmans filmer är fantastiska.
    Jag Tycker också att ...

B Skriv egna exempel med *också/inte* heller.

2 Konjunktioner och samordning

Anna lånade en hund och gick ut med den i parken.
Vi kan sitta i mitt kök och diskutera livet tillsammans eller ta en härlig promenad i skogen!
Tyvärr har jag inte körkort, men jag kanske kan sitta bak på din motorcykel.
Just nu bor jag hos mina föräldrar, för mitt ex tog vår lägenhet.
Anna tycker inte så mycket om att sjunga, så hon slutade efter några gånger.

Konjunktioner
binder ihop huvud-
sats och huvudsats.
och = "plus" (tillägg)
eller = alternativ
men = kontrast
för = orsak *CAUSE*
så = konsekvens

A Välj konjunktioner ur rutan och skriv dem där de passar in.

> och   men   eller   för   så

1 Petra kan inte komma ikväll __för__ hon är sjuk.

2 Jag skulle vilja följa med på krogen __men__ jag har inga pengar.

3 Jag har mycket att göra den här veckan __så__ jag kan tyvärr inte träffa dig.

4 Stina måste plugga i helgen __för__ hon har prov på måndag.

5 Jag kan inte träffa dig den här veckan __men__ nästa vecka går bra.

6 Kursen var lite tråkig __så__ Bengt slutade efter två veckor.

7 Jag kan inte träffa dig den här veckan ~~men~~ __för__ jag har mycket att göra.

8 Nils städar __och__ lyssnar på radio.

9 Anders tycker inte om kött ~~för~~ __men__ han älskar grönsaker.

10 Jag vill äta pizza __eller__ tacos ikväll.

B Skriv egna exempel med konjunktioner.

Jag ...

Samordning

Funda-ment	Verb1	Sub-jekt	...		Funda-ment	Verb 1	Sub-jekt	...
Jag	bor	---	hos mina för-äldrar just nu	för	mitt ex	tog	---	vår lägen-het.
Just nu	bor	jag	hos mina föräldrar	för	mitt ex	tog	---	vår lägen-het.
Jag	har	---	inte körkort tyvärr	men	jag	kan	---	sitta bak på din motor-cykel.
Tyvärr	har	jag	inte körkort	men	jag	kan	---	sitta bak på din motor-cykel.
Kursen	var	---	lite tråkig	så	jag	slutade	---	efter en vecka.
Kursen	var	---	lite tråkig	så	efter en vecka	slutade	jag.	
Vi	kan	---	sitta i mitt kök och diskutera livet tillsam-mans	eller	(vi)	(kan)	---	ta en härlig promenad i skogen!
---	Ska	Anna	sjunga i kör	eller	---	borde	hon	göra något annat?

> Konjunktioner binder ihop två huvudsatser. Konjunktionen
> står "utanför" positionsschemat, inte på fundamentplats.

C Stryk under alla huvudsatser i meningarna här nedanför. Hur många är de?
Exempel:

Lotta går och lägger sig för hon är jättetrött. (= 2)

1 Vi tänkte gå på bio men det fanns inga biljetter så vi gick och fikade i stället.

2 Vill du gå hem nu eller ska vi stanna en stund till?

3 Jag vill ta en kopp kaffe men kaffet är slut så jag måste köpa nytt.

4 Christer lagar mat och Britta städar för de ska ha vänner på middag ikväll.

5 Jag ringde mormor men hon svarade inte så jag skrev ett mejl i stället.

6 Jag måste plugga mycket ikväll för vi ska ha prov imorgon.

D Sortera orden och skriv meningar. Börja med orden i fet stil.
   Exempel:

   på bio/gick/**Igår**/mina kompisar + *men* + inte/**jag**/följa med/kunde.

   Igår gick mina kompisar på bio men jag kunde inte följa med.

1 inte/**Utställningen**/var/så intressant + *så* + gick/**efter en kvart**/hem/jag.

2 att göra/**Den här veckan**/mycket/jag/har + *men* + dig/**nästa vecka**/hjälpa/
   jag/kan.

3 hem/**Nu**/går/jag + *för* + så bra/**jag**/inte/mår.

4 plugga/**Jag**/nu/måste + *och* + med hunden/**sedan**/jag/ska/gå ut.

5 pigg/**Idag**/jag/är + *men* + var/**igår**/jättetrött/jag.

6 tidningen/**Annika**/läser + *och* + tittar/**Rolf**/på teve.

7 handla mat/**Kan**/du + *eller* + jag/**ska**/göra det?

8 jag/**I fredags**/mormor/träffade + *och* + träffa/**nästa vecka**/jag/farfar/ska.

9 gå ut/**Tyvärr**/inte/kan/ikväll/jag + *för* + har/**jag**/inga pengar.

10 åtta/**Klockan**/är + *så* + måste/**nu**/gå/vi.

Stryka subjekt

Funda-ment	Verb	Sub-jekt	...		Funda-ment	Verb	Sub-jekt	...
Anna	gick	---	på en kurs	och	(hon)	läste	---	spanska där.
Anna	gick	---	på en kurs	och	där	läste	hon	spanska.
Anna	lånade	---	en hund	och	(hon)	gick	---	ut i parken med den.
Anna	lånade	---	en hund	och	med den	gick	hon	ut i parken.
Anna	gick	---	på en kurs	men	(hon)	slutade	---	efter en vecka.
Anna	gick	---	på en kurs	men	efter en vecka	slutade	hon.	---

Vi kan stryka subjektet i andra huvudsatsen när ...
- huvudsatserna binds ihop med och eller men
- det är samma subjekt i båda satserna
- det andra subjektet står direkt efter och eller men (på fundamentplats).

När något annat än subjektet står på fundamentplats (ordföljd v + s) kan vi inte stryka subjektet.

E Vilka subjekt kan man stryka i meningarna här nedanför? Kryssa över dem.

1 Karina äter frukost och hon läser tidningen.

2 Karina äter frukost och sedan läser hon tidningen.

3 Adam lyssnar på radio och Mia läser en bok.

4 Adam lyssnar på radio och han läser en bok.

5 Anna går och lägger sig och efter en stund somnar hon.

6 Anna går och lägger sig och hon somnar efter en stund.

3 Substantiv: obestämd och bestämd form

Obestämd form

Substantivet har obestämd form:

Anna lånade en hund och gick ut med den i parken.

när informationen är ny för den som lyssnar/läser (med obestämd artikel *en/ett*)

Vi kanske kan sitta i ditt kök.

Annas kusin rekommenderade en annan metod.

efter possessivt pronomen och genitiv

Hon har haft flera pojkvänner.

Anna slutade efter några gånger.

Då kommer säkert någon stilig man och börjar prata med henne.

efter "kvantitetsord": *ingen/inget/inga, någon/något/några, många, flera, olika, tre* o.s.v.

Varför inte nästa sommar?

efter *nästa* och *samma*

Jag gillar att köra motorcykel, men jag tycker inte om att laga mat.

i många verbfraser när man tänker på något generellt/inte specifikt: *sjunga i kör, åka buss, spela piano, dricka te*. Ingen artikel. Jämför: *Jag tar bussen.* = specifik buss

Bestämd form

Substantivet har bestämd form:

Anna lämnade tillbaka hunden.

när det inte är första gången vi pratar om något

På den här gården finns det plats för en kvinna också

efter demonstrativa pronomen (*den/det/de här/där*)

Anna sitter vid datorn.

Vi kan sitta och diskutera livet tillsammans.

när vi pratar om något specifikt/känt objekt eller koncept – den som lyssnar eller läser vet vad vi menar

Alla sitter hemma på helgerna.

På fritiden sitter jag gärna och fikar.

i en del tidsuttryck när det handlar om vad man brukar göra (på vintern/vintrarna, på kvällen/kvällarna, på julen/jularna)

Jag kan behöva lite hjälp med djuren ibland.

när något är en naturlig del av något man pratar om; bondgård → djuren, dator → skärmen, lägenhet → köket o.s.v.

Förut gick Anna ofta ut på krogen.

i många verbfraser när man inte tänker på själva byggnaden eller personen, utan på funktionen de har (gå på krogen, gå på banken, gå till doktorn, gå till frisören)
OBS! Ibland har man obestämd form (utan artikel): gå på krogen men gå på teater.

A Skriv substantivet i bestämd eller obestämd form.

teve	1 Kan du stänga av _____ nu? Klockan är mycket.
bil	2 Vi kan ta min _____.
somrar	3 Vad brukar ni göra på _____ _N/A_ _?
liv	4 _____ _et_ _ är fantastiskt!
bok	5 Jag förstår inte den här _____.
fiol	6 Embla spelar _____.
vinter	7 Vad ska ni göra nästa _____?
doktor	8 Jag måste gå till _____ X _ efter jobbet.
katt	9 Jag såg _____ i parken i morse.
skådespelare	10 Vi såg en ny film i fredags. _____ var bra.

Pronomen i stället för substantiv bestämd form

Den här datorn var ganska billig. Den kostade bara 2 000 kr.
Jag älskar det här huset. Det är så vackert!
Nils Petter har hyrt två filmer. De handlar om cowboys.
Filip har en ny fru. Hon heter Ella.
Stina har en bror. Han heter Erik.
Frida har två kusiner. De bor i Småland.

> Vi använder ofta
> pronomen i stället för
> substantiv bestämd
> form.

B Välj pronomen eller substantiv ur rutan och skriv dem i rätt form där de passar
in. Du kan använda samma ord flera gånger.

hus	motorcykel	annons	vecka	man
dator	vän	hon/han	det	meddelande

Anna ska skriva _____ till _____ som har svarat

på hennes _____. _____ heter Mikael och bor i _____

i Skåne. _____ är stort och vackert och ligger på landet. Anna är lite

nervös. _____ vet inte vad hon ska skriva i meddelandet. Hon sätter på

_____ och börjar:

Hej Mikael,

Tack för ditt _____. _____ var så trevligt!

Jag skulle gärna vilja träffa dig. Vad gör du nästa _____? Jag ska ta en tur med

min _____ och hälsa på _____ då. _____ bor nära dig,

cirka fem kilometer från ditt _____. Är du hemma på fredag?

Skriv snart!

Anna

4 Datorer och IT

Kryssa för rätt alternativ.

1 Åh, nej! Jag glömde att …
   dokumentet. Nu är allt borta!
   ☐ spara
   ☐ ångra
   ☐ sätta på

2 Tonern är slut, så jag kan inte …
   ☐ bifoga.
   ☐ skriva ut.
   ☐ ångra.

3 Jag … en prislista.
   ☐ bifogar
   ☐ loggar in
   ☐ ångrar

4 Är det inte förbjudet att … filmer?
   ☐ klicka
   ☐ ladda ner
   ☐ sätta på

5 Jag har glömt mitt lösenord,
   så jag kan inte …
   ☐ klistra in
   ☐ logga in
   ☐ markera

6 – Hjälp, jag skrev fel!
   – Ingen fara, det är bara att klicka på …
   ☐ infoga.
   ☐ markera.
   ☐ ångra.

7 – Hur … man datorn till skrivaren?
   – Använd den här kabeln.
   ☐ kopplar
   ☐ öppnar
   ☐ söker

8 – Min dator fungerar inte!
   – Pröva att … den. Det kan hjälpa.
   ☐ sätta på
   ☐ starta om
   ☐ fylla på

9 – Nora, kan du … datorn nu?
   Vi ska äta middag.
   – Ja ja, jag ska!
   ☐ starta om
   ☐ ladda ner
   ☐ stänga av

5 Partikelverb

Välj partikel ur rutan och skriv dem där de passar in. Du kan använda
samma partikel flera gånger.

| om | in | på | ner | av | ut |

1 – Kan inte du gå _____ med hunden ikväll? Jag gjorde det igår.

   – Okej.

2 – Jag har startat _____ datorn två gånger, men det hjälper inte.

   – Oj då. Du måste kanske ringa support.

3 – Snälla, kan du fylla _____ på papper i skrivaren?

   – Absolut.

4 – Jag sätter _____ teven för nu börjar en jättebra film.

   – Kul!

5 – Kan du stänga _____ musiken? Jag måste plugga.

   – Okej då.

6 – Du får inte ladda _____ filmer på min dator, Putte.

   – Okej.

7 – Kan du skriva _____ det här dokumentet?

   – Javisst.

8 – Pappa, du måste skriva ditt lösenord här när du ska logga _____.

   – Jaha, tack!

6 Prepositioner

Skriv rätt preposition.

Olof är trött _____ att vara singel. Han gör olika saker varje dag, för han vill

1

verkligen träffa en partner. På måndagar sjunger han _____*i* kör och på tisdagar går

2

han _____ olika utställningar. Han står länge *framför* någon intressant tavla,

3 4

tittar _____ den och väntar. Men det kommer aldrig någon snygg tjej och pratar

5

_____ honom. På onsdagar lånar han en väns hund och går ut _____ den _____

6 7 8

parken. Ingenting hjälper. Nu sitter Olof _____ datorn och läser mejl. En kompis

9

vill bjuda hem Olof _____ en stor middag _____ fredag. Vad kul! Efter jobbet på

10 11

fredagen köper han en flaska gott vin som de kan dricka *till* maten. Olof hoppas

12

att det blir en bra kväll.

7 Ett formulär

Var vänlig fyll i formuläret nedanför. Använd dina uppgifter eller fantisera.

Efternamn:	
Förnamn:	
Kön:	
Ålder:	
Gatuadress:	
Postnummer:	
Postadress:	
Telefon hem:	
Mobil:	
E-postadress:	

Repetera

8 Ordningstal

Skriv datumen med siffror.

1 artonde i andra _____

2 fjortonde i tredje _____

3 sjuttonde i sjätte _____

4 tjugonde i sjunde _____

5 trettionde i åttonde _____

9 Preteritum

Skriv hjälpverben i preteritum.

1 Igår _____ jag ta bilen till jobbet, men jag _____ inte
   (vill)   (kan)

   för den startade inte.

2 Jag _____ inte skriva rapporten igår, men jag gör det idag.
       (hinner)

3 Vi _____ inte skriva provet i fredags, för läraren var sjuk.
      (behöver)

4 Vilma _____ inte gå ut igår kväll, för hon _____ plugga.
         (får)   (måste)

5 Oscar ___skull__ springa maraton i lördags, men han ___ork/te___
          (ska)   (orkar)

   bara springa tre mil.

1 Få, många, lite och mycket

> få personer många personer
> lite fett mycket fett

---

få och *många* = man kan räkna
lite och *mycket* = man kan inte räkna

Ibland kan det vara både och:
– *Hur mycket fisk köpte du?* – *Tre kilo*. (Man tänker på "materialet fisk".)
– *Hur många fiskar köpte du?* – *Fyra stycken*. (Man tänker på "antalet fiskar".)

Man säger *mycket pengar*, inte *många pengar*.

Man kan använda *mycket* i stället för *många* vid substantiv som man kan
räkna, när man tänker på "materialet" mer än "antalet".
– *Jag har köpt så mycket jordgubbar i år. 20 kilo! De var så billiga.*

A Skriv *få, många, lite* eller *mycket*.

1 – Hur _____ mjöl behöver man till pannkakorna?

   – Tre deciliter ungefär.

   – Hur _____ deciliter mjölk då?

2 – Vill du ha kaffe?

   – Ja, men bara _____. Jag vill kunna sova ikväll.

3 – Hur _____ potatisar ska jag koka?

   – Sex, tror jag blir bra.

4 – Hur _____ blir vi till middag?

   – Vi blir 5 stycken.

   – Då har jag köpt för _____ biffar. Jag har bara 3 stycken.

5 – I Sverige har vi _____ stora städer. Det är bara Stockholm

och Göteborg som har fler än 500 000 invånare.

– Ja, i Japan är det annorlunda. Där finns det _____ stora städer.

6 – Jag har köpt för _____ grädde till maten.

– Okej. Jag köper mer på vägen hem. Hur _____ ska jag köpa?

– Köp sex deciliter.

Komparation: få, många, lite och mycket		
mycket	mer	mest
lite	mindre	minst
många	fler	flest
få	färre	färst*

För det mesta betyder "oftast".
Många, fler, flest, få, färre kan man använda
självständigt om personer. Flest kan även
användas med bestämd artikel.
Exempel:
Många/De flesta vet inte att Nobel var svensk.
Det bor fler i New York än i Stockholm.
Vi är färre på lektionen idag än igår.

* Formen färst är mycket ovanlig.

B Skriv något av orden från rutan ovanför.

1 I Finland dricker man _____ kaffe per person i hela världen.

2 I Sverige äter man _____ potatis än man gör i Italien.

3 Många personer borde äta _____ frukt och grönt.

4 I Luxemburg dricker man _____ vin per person i hela världen.

5 Många svenskar äter _____ pasta än många italienare.

6 Stockholm har _____ invånare än Uppsala.

7 Stockholm har _____ invånare än Paris.

8 I Kina bor det _____ personer än i Sverige.

9 – Vi måste köpa _____ biffar. Vi har bara fyra och vi är fem personer.

10 – Vi har bara _____ mjöl. Vi måste köpa _____ .

✓2 Tror/tycker

– Jag har inte ätit surströmming men jag tror att det är äckligt.
– Jag har ätit det. Jag tycker att det är ganska gott.

tror = är inte säker men har en idé om något
tycker = har en åsikt/värdering om något

Skriv *tror* eller *tycker* i rätt form.

1 – _____ du att Samira är snygg?

– Ja, det gör jag!

– Aha. Jag _____ att hon är lite intresserad av dig.

2 – Gillar du vår lärare?

– Ja, men jag _____ att han skriver fult på tavlan.

3 – Vi måste gå nu. Filmen börjar om 20 minuter!

– Jaha, oj! Jag _____ att den började klockan sju.

4 – Vilken bulle vill du ha?

– Den där! Jag _____ att kanelbullar är godare än vaniljbullar.

Vaniljbullar är för söta.

5 – Såg du filmen om björnar på teve igår?

– Ja, jag _____ att den var spännande och intressant.

6 – När jag var liten _____ jag att tomten fanns på riktigt.

7 – När kommer bussen?

– Om fem minuter _____ jag.

8 – Vi ska gå och se Dinosaurier ikväll.

– Jaha, vad kul. Jag har inte sett den, men jag _____ att den är jättebra.

9 – Jag gillar inte surströmming. Jag har alltid _____ att det luktar

och smakar för starkt.

3 Subjunktioner och bisatser

> Jag är vegetarian eftersom jag inte tycker om kött.
> När jag går ut och äter väljer jag sushi eller thaimat.
> Om jag lagar mat hemma gör jag en enkel pasta eller nudlar.
> Jag tycker faktiskt att jag äter ganska bra mat.

En bisats börjar med en subjunktion t.ex. *att, eftersom/därför att, om, när*.
En bisats kan inte stå själv.

eftersom/därför att = förklaring
när = tid
om = hypotes
att = man *säger/tycker/gillar* att + bisats

I talspråk säger man ibland *för att* i stället för *därför att*.
Exempel: *– Varför kom du inte igår? – För att jag var sjuk.*

OBS! Vi börjar inte en mening med *därför att*.
Exempel:
~~*Därför att jag är sjuk kommer jag inte.*~~
Man säger/skriver:
Eftersom jag är sjuk kommer jag inte.
eller
Jag kommer inte eftersom/därför att jag är sjuk.

A Skriv rätt subjunktion. Ibland kan flera alternativ vara rätt.

> att   eftersom   om   när   därför att

1 – Kommer du på festen?

   – Jag hoppas men jag vet inte _____ jag kan.

2 – Jag går sällan på bio _____ jag inte gillar film. Jag tycker

   _____ teater är roligare.

3 – Vad sa hon?

   – Hon sa _____ hon kommer klockan fem _____

   tåget är sent.

   – Okej. _____ hon kommer börjar vi äta.

4 – Jag gillar inte skolan _____ vi har så mycket läxor.

   – Inte jag heller. Men _____ vi pluggar tillsammans blir det

   kanske roligare.

5 – ___Når___ den första snön kommer brukar jag åka skidor.

   – Jaha, jag tycker _____ snön är vacker men jag gillar inte

   _____ det blir för kallt. Jag brukar mest vara inne på vintern.

6 – Jag måste gå och lägga mig nu _____ jag ska upp tidigt imorgon.

7 – Kommer du med?

   – Jag vet inte _____ jag kan.

   – Okej, messa mig _____ du vet.

8 – _____ det regnar kan vi inte åka till stranden.

   – Åh nej, vad synd!

   – Ja, men vi kan göra det imorgon i stället _____ det blir fint väder.

Fundament	Verb 1	Subjekt	Sats-adverb	Verb 2	Verb-partikel	Komple-ment	Adverb
Jag	är	---	---	---	---	vegetarian	eftersom jag inte tycker om kött.
Jag	brukar	---	faktiskt	tycka	---	att jag äter ganska bra mat.	---
Om jag lagar mat hemma,	värmer	jag	oftast	---	upp	en enkel pasta eller en soppa.	---

---

Huvudsats och bisats

En bisats är en del av en huvudsats. Bisatsen är t.ex. adverb eller komplement i huvudsatsen. När bisatsen är fundament, blir ordföljden v + s i huvudsatsen

B Rita ett satsschema och skriv in fraserna i det. Börja med de understrukna orden. Exempel:

Jag kommer inte på festen eftersom jag inte har tid.

Funda-ment	Verb 1	Subjekt	Sats-adverb	Verb 2	Verb-partikel	Komple-ment	Adverb
Eftersom jag inte har tid	kommer	jag	inte				på festen.

1 Vi åker inte ut till landet <u>om det regnar.</u>

2 Jag ringde dig inte igår <u>eftersom jag var sjuk.</u>

3 Kenneth sa <u>igår</u> att Agnes är sjuk.

4 Petronella berättade <u>i lördags</u> att du inte kunde komma.

5 Mötet börjar <u>när Björn kommer</u>.

6 Jag kommer till skolan imorgon <u>om jag är frisk</u>.

Bisats-inledare	Subjekt	Sats-adverb	Verb 1 + 2	Verb-partikel	Komplement	Adverb
...eftersom	jag	inte	tycker	om	kött.	----
...att	jag	ofta	äter	----	ganska bra mat.	----
Om	jag	----	lagar	----	mat	hemma...
...när	du	----	ska träffa	----	honom	ikväll.

Ordföljd i bisats
Bisatsen börjar med en bisatsinledare. Bisatsen har alltid samma ordföljd. (Den går inte att variera som ordföljden i en huvudsats.)
Satsadverbet kommer före verbet i bisatsen.
Verb 1 och 2 kommer direkt efter varandra.

C Ordna ordföljden i bisatserna.
Exempel:

| bussen eftersom kom inte | Jag är sen ... | *Jag är sen eftersom bussen inte kom.* |

| hennes att frisk mamma är inte | 1 Hon sa ... |

| du ha inte om dem vill | 2 Jag kan äta upp pannkakorna ... |

| bussen kom eftersom inte | 3 Jag tog en taxi ... |

| jag när igår honom såg | 4 Han såg ledsen ut ... |

| kokar när vattnet | 5 Du lägger i pastan ... |

| inte du om diskar | 6 Du får inte titta på teve ... |

| du om vill indisk på lördag mat äta | 7 Jag vet en bra restaurang ... |

D Skriv om meningarna 3–7 i C så att de börjar med bisatsen.

Exempel:

Jag är sen eftersom bussen inte kom.

> Eftersom bussen inte kom är jag sen.

4 Sitter/står/ligger/håller på *och*

Tre vänner sitter och pratar på en uteservering.
En hund ligger och sover.
Och en man står och tittar på en karta.
Vi håller på och fixar ert bord.

WE ARE IN THE PROCESS of fixing A TABLE

Sitter och, ligger och, står och + verb = man gör något just NU i en specifik position.

Man kan också säga *håller på och* + verb. Då tänker man inte på positionen. Man har fokus på aktiviteten.

Man kan använda konstruktionen i alla tempus:
Tre vänner satt och pratade på en restaurang (preteritum). *Hunden har legat och sovit hela dagen* (presens perfekt). *Jag ska sitta och studera på biblioteket i eftermiddag* (presens futurum).

A Skriv verbformerna som fattas. Titta på verblistorna på www.nok.se/rivstart om du är osäker.

Imperativ	Infinitiv	Presens	Preteritum	Supinum
håll!		håller		
		ligger	låg	
		sitter		
		står		

B Skriv orden från A i rätt form där de passar in. Ibland kan flera alternativ vara rätt.

1 – Vad ska du göra på semestern?

– Jag ska _____ och sola på min favoritstrand i Thailand. *LIGGA*

2 – Hur mår Eva?

– Inte så bra. Hon har _____ och sovit i mer än tolv timmar nu. Jag *LIGAT* undrar om vi ska ringa doktorn.

3 – Nu har du _____ och spelat dataspel i fem timmar. Vi sa att du bara fick spela i två timmar. *SUTIT*

– Okej, jag ska bara komma till nästa nivå.

4 – Vad blöt du är!

– Ja, jag _____ och väntade på bussen i regnet. *or SATT*

5 – Vad gjorde du igår?

– Jag _____ och läste böcker i soffan. Jätteskönt. *or låg*

6 – Vad gör Wang?

– Han _____ och pratar i telefon där borta i fåtöljen.

7 – Vad ska ni göra på lördag?

– Vi ska _____ och köa för biljetter till konserten. De börjar sälja dem klockan 12.

8 – Var är Ulrika?

– Hon _____ och pratar med chefen där borta vid kaffeautomaten. *or STÅR*

9 (på telefon)

– Kan jag få prata med Kerstin?

– Nej tyvärr, hon _____ och sover.

10 – Var är Uffe och Martin?

– De _____ och diskuterar livet där borta vid baren. *or STÅR*

✓ 5 Nationalitetsadjektiv

Jag gillar verkligen chilenskt vin och franska ostar. Men svensk ost tycker jag inte så mycket om.

Man böjer nationalitetsadjektiv som andra adjektiv. Tänk på att **k** inte uttalas i -*skt*. [çilenst].

Skriv ett nationalitetsadjektiv i rätt form.

– Vad är kvällens meny?

– Ikväll har vi en ganska speciell meny. Vi börjar med _____*A*_____ (Danmark)
1

ostar och ___*AUSTRALIENSISKT*___ (Australien) öl. Till det serverar vi ___*GREKISKT*___
2   3

(Grekland) bröd och ___*LEBANESISKA*___ (Libanon) oliver. Till huvudrätt bjuder
4

vi på ___*KINESISKA*___ (Kina) grönsaker och _____ (Korea) biff. Vi
5   6

rekommenderar ett ___*ÖSTERRIKISKT*___ (Österrike) vin till detta. Om ni vill kan ni få
7

lamm med ___*MAROCKANSKA*___ (Marocko) kryddor också. Efter huvudrätten kommer
8

en ___*INDISK*___ (Indien) grönsaksrätt. Till den passar ___*NORSKT*___ (Norge)
9   10

mineralvatten. Desserten är *NY ZEE LÄNDSK* (Nya Zeeland) med ett ___*TYSKT*___
11   12

(Tyskland) dessertvin.

✓ 6 Prepositioner

Skriv rätt preposition.

Det finns många bär i Sverige, jordgubbar _____ exempel. ___*AV*___ jordgubbar
1   2

kan man göra sylt och saft. Potatis kom _____ Sverige på 1600-talet. Man började
3

göra vodka _____ potatisen. Idag äter man den ofta nykokt _____ dill.
4   5

En älg kan bli mer _____ två meter hög. Om man inte jagar älgarna blir de
6

___*för*___ många. Sill finns både ___*på*___ ost- och västkusten. Laxen lever ___*i*___
7   8   9

floder och hav.

Repetera

7 Också – inte heller

A Kryssa för rätt alternativ.

1 – Jag älskar surströmming!
   ☐ – Jag också.
   ☐ – Men det gör jag.

2 – Jag gillar inte meloner.
   ☐ – Det gör inte jag.
   ☐ – Inte jag heller.

3 – Jag tycker inte så mycket om salami.
   ☐ – Men det gör jag.
   ☐ – Jag också.

4 – Jag gillar verkligen pytt i panna.
   ☐ – Men det gör jag.
   ☐ – Jag också.

5 – Jag gillar faktiskt inte broccoli.
   ☐ – Men det gör jag.
   ☐ – Inte jag heller.

6 – Jag hatar prinsesstårta.
   ☑ – Det gör jag också faktiskt.
   ☐ – Inte jag heller.

8 Prepositioner: i eller på?

Skriv *i* eller *på*.

1 _____ torget finns en staty av en kung. Han byggde slottet _____ Stockholm.

2 _____ Malmöregionen bor människor från många olika länder.

3 Visby ligger _____ Gotland. _____ Visby är det många turister på sommaren.

4 _____ Sverige odlar man vete, havre och råg.

5 _____ den här restaurangen _____ Luleå kan man äta svenska specialiteter.

6 _____ landskapet Lappland bor många samer.

13

1 Adverb för position, destination, från destination

> Det verkar roligt att se världen **uppifrån**.
> Det är kanske bättre att vara veterinär för
> då kan man vara **hemma** hos familjen mer.

> Några adverb har tre former, position,
> destination och från position.
> (*är/sitter/ligger* …) *hemma* = position
> (*går/åker/flyger* …) *hem* = destination
> ("till hemma")
> *hemifrån* = från position ("från hemma")

A Komplettera schemat.

	Position	Destination	Från position
1	där	dit	
2	här		
3	var	vart	
4	hemma	*HEM*	
5	inne		inifrån
6	ute		
7	uppe		
8	nere	*upp* *NEr*	*NErifrån*
9	framme	fram	*framifrån*

B Ringa in rätt ord.

1 – *Var/Vart/Varifrån* ska du?

– Jag ska gå på en konsert med Roxette.

– *Var/Vart/Varifrån* kommer de?

– De är från Sverige!

2 – *Var/Vart/Varifrån* bor du?

– Jag bor i Vasastan. Men jag ska flytta nu.

– Jaha, *var/vart/varifrån* då?

– Till en stuga på landet, 10 mil utanför stan.

3 – Har du varit i Korea?

– Nej, jag har aldrig varit *där/dit/därifrån* men jag ska *där/dit/därifrån*

i vår på en konferens. Sedan ska jag flyga *där/dit/därifrån* till Kina.

– Vad spännande!

4 Jag går till jobbet klockan åtta ungefär. Jag kommer *framme/fram/frami-

från* klockan nio. Jag slutar arbeta klockan halv sex. Då går jag inte direkt

hemma/hem/hemifrån. I stället träffar jag kompisar *ute/ut/utifrån* på stan.

5 (*på telefon*)

– Hej, nu är jag *här/hit/härifrån*!

– Välkommen! Du kan ta hissen *uppe/upp/uppifrån* till femte våningen.

6 – Vi måste ha gardiner, annars kan man se *inne/in/inifrån* i lägenheten.

– Ja absolut!

7 – Wow! Här *uppe/upp/uppifrån* Eiffeltornet ser man hela stan!

– Ja, jättevackert! Där *borta/bort/bortifrån* ser man Louvren.

8 (*på telefon*)

– Hallå, jag är här *nere/ner/nerifrån* nu. Dörren är stängd, kan du

komma *nere/ner/nerifrån* och öppna?

9 – Vill du gå *ute/ut/utifrån* ikväll?

– Nej jag orkar inte, jag var *ute/ut/utifrån* igår.

2 NU-adverb och DÅ-adverb

> Den här veckan har varit stressig för Selin.
> Igår hade hon en extra stressig dag.

NU-adverb + presens pefekt
DÅ-adverb + preterium

A Ringa in det tempus som passar bäst.

1 Bill och Charlotte *har gift sig/gifte sig* på Maldiverna förra året.

2 Maryam *har kommit/kom* hem från semestern i förrgår.

3 Adam *har druckit/drack* tre koppar kaffe i morse.

4 Fatima *har varit/var* i London två gånger i år.

5 Katja *har pluggat/pluggade* jättemycket den här månaden.

6 Sofia *har sett/såg* en bra teaterpjäs igår.

7 Lukas *har haft/hade* lektioner hela dagen idag.

8 Fatemeh *har missat/missade* bussen i morse.

9 Marie *har inte jobbat/jobbade inte* så mycket den här veckan.

10 Yusuf *har pluggat/pluggade* i Oslo förra året.

B Skriv om meningarna från A med NU-adverbet eller DÅ-adverbet först.
Exempel:

> *Förra året gifte sig Bill och Charlotte*
> *på Maldiverna.*

[handwritten notes:]

KOM
D CRICK
HAR FATMEN VARIT
HAR KATJA pluggat
SÅG
HAR
MISSADE
HAR MARIE INTE Johba
pluggade

3 Verb: presens perfekt eller preteritum?

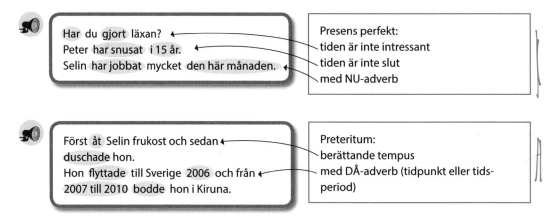

Har du gjort läxan?
Peter har snusat i 15 år.
Selin har jobbat mycket den här månaden.

Presens perfekt:
tiden är inte intressant
tiden är inte slut
med NU-adverb

Först åt Selin frukost och sedan
duschade hon.
Hon flyttade till Sverige 2006 och från
2007 till 2010 bodde hon i Kiruna.

Preteritum:
berättande tempus
med DÅ-adverb (tidpunkt eller tids-
period)

Skriv rätt form av verbet.

vara (4b)
ta (4a)

1 – Jag _____ läkare i tio år. Du då?

– Jag _____ min examen 1976.

röka (2b)
vara (4b)
börja (1)

2 – Jag _____ sedan jag var 15 år.

– Usch, det _____ dumt att du _____!

jobba (1)
jobba (1)

3 – Jag _____ över varje dag den här veckan.

– Oj, jag _____ bara över i förrgår.

göra (4b)
gå (4b)

4 – Vad _____ du i lördags?   GJORDE

– Jag _____ på bio.   GICK

bo (3)
flytta (1)
komma (4a)

5 – Du pratar jättebra svenska!

– Tack, men jag ___Har bott___ här i Sverige länge nu.

– När _____ du hit?

– Jag _____ hit 1982.

lära (2a)
gå (4b)

6 – Jag ___Har lärt___ mig att åka skidor.

– Vad bra! Hur?

– Jag ___gick___ i skidskola i Åre förra vintern.

<table>
<tr><td>

ta (4a)
lära (2a)
bo (3)

</td><td>

7 – Kan du dansa tango?

– Nja, jag _____ HAR TAGIT _____ en lektion, så jag är inte så bra. Kan du?

– Ja, jag _____ mig det när jag _____ i Finland.

</td></tr>
</table>

<table>
<tr><td>

komma (4a)
ta (4a)
äta (4a)
äta (4a)

</td><td>

8 – Igår _____ Maja och Siv hem till oss. De _____ med sig en flaska vin.

– Jaha, vad _____ ni?

– Ostron.

– Jaha. Det har jag aldrig _____. Är det gott?

– Ja, ganska.

</td></tr>
</table>

4 Infinitiv med *att* och utan *att*

> Nu är han trött på att arbeta med barn och vill pröva något annat.

> Efter hjälpverb har man inte *att* före infinitiv. Annars har man *att* före infinitiv.

Några meningar måste ha *att*. Skriv om texterna med *att* där det behövs.
Exempel:

Jag gillar gå på hockey med mina kompisar.

Jag gillar att gå på hockey med mina kompisar.

1 Mina släktingar ska åka till London på semester. Det finns mycket göra i London. Min kusin älskar shoppa men min farbror har inte lust gå i affärer. Han planerar gå på fotboll. Min faster gillar inte gå på hockey. Hon vill helst gå på museer. Hon är intresserad av se historiska byggnader också.

2 Katja har mycket göra på jobbet just nu. Hon gillar jobba mycket, men ibland blir det för stressigt. Det är svårt hitta tid för vänner och fritidsintressen. Katja är duktig på måla och hon vill gärna måla mer. Efter jul har hon mindre göra. Då ska hon gå en målarkurs. Det finns många kurser välja på. Hon har valt en akvarellkurs.

5 Hemma hos/hem till

(är/sitter/ligger ...) hemma hos + person(er)
(går/åker/flyger...) hem till + person(er)
Ordet hus har man bara när man pratar om byggnaden.
Exempel: Maria och Anna-Karin har köpt ett nytt hus. Det
är jättefint. Vi var hemma hos dem igår på middag.

Skriv *hemma hos* eller *hem till*.

1 – Hur mår Olof?

   – Bra! Jag var _____ honom och spelade dataspel igår.

2 – På semestern ska jag åka _____ Turkiet. Tomas och barnen
   följer också med.

   – Vad kul!

3 – Hur var sommaren?

   – Jättebra, vi bodde _____ några vänner på Gotland i två veckor.

4 – Kom _____ mig imorgon! Jag ska fira min födelsedag!

   – Ja gärna!

5 – Ni har inte varit _____ oss! Kan ni inte komma på onsdag?

   – Onsdag blir svårt, men torsdag kan vi.

   – Okej!

6 – Vad gjorde ni igår?

   – Vi var _____ några kompisar på middag.

7 – Hur var helgen?

   – Okej. Jag var _____ Shirin och kollade på film hela lördagen
   och i söndags åkte jag _____ mamma och pappa och åt middag.

8 – Vad ska ni göra i jul?

   – Vi ska åka _____ min släkt i Dalarna.

   – Härligt!

6 Prepositioner

Skriv rätt preposition.

Wang har bott __i__ Sverige __på__ fem år. Hans fru heter Kattis.

1   2

De har varit gifta __i__ tolv år. De flyttade __till__ Sverige när Wang fick

3   4

jobb __på__ en advokatfirma __i__ Stockholm. Wang jobbar ofta över men

5   6

__på__ helgerna är han nästan alltid ledig __i__ alla fall.

7   8

__på__ sommaren brukar Kattis och han spela golf __i__ Spanien. Den

9   10

här veckan har varit extra stressig __för__ Wang. __På__ måndags missade

11   12

han bussen __till__ stan. Några klienter väntade __på__ honom, så han måste

13   14

ta en taxi __till__ jobbet. Han hade mycket att göra __på__ jobbet sedan, så han

15   16

köpte sushi som han åt __framför__ datorn. __På__ eftermiddagen hade han ett möte

17   18

__med__ några kollegor. De pratade __om__ ett nytt projekt. Han lämnade jobbet

19   20

prick sex och åkte __till__ en bra restaurang och köpte hämtmat __för__ sex

21   22

personer. Prick halv sju ringde de första gästerna __på__ dörren. Samtidigt

23

ringde telefonen. Det var __från__ huvudkontoret. De ville ha en telefonkonferens

24

och diskutera några viktiga frågor.

Repetera

7 Tidsadverb: preteritum, vana och presens futurum

	Preteritum	Vana *EXPERIENCE* / HABITS	Presens futurum
Veckodagar WEEK DAYS	i måndags	på måndag(na)	på måndag
	i tisdags	på tisdag(na)	på tisdag
Årstider SEASONS	i våras	på våren/vårarna	i vår
	i somras	på sommaren/somrarna	i sommar
	i höstas	på hösten/höstarna	i höst
	i vintras	på vintern/vintrarna	i vinter
Högtider HOLIDAYS	i påskas	på påsken	i påsk
	på midsommarafton	på midsommarafton	på midsommarafton
	i julas	på julen	i jul
	på nyårsafton	på nyårsafton	på nyårsafton

Skriv rätt form av adverbet i parentes.
Exempel:

måndag   <u>I måndags</u> träffade jag Ulla.

jul   1 Martin och Peter ska stanna i stan _____.

tisdag   2 Jag brukar spela tennis _____. Men _____
blev det inget för min tennispartner var utomlands.

vår   3 Wang började läsa svenska _____ i våras

onsdag   4 Jag ska spela poker på _____. Jag brukar alltid

göra det _____.

vinter   5 Kurt och Camilla brukar vara i fjällen _____

men _____ ska de resa till Lissabon.

påsk   6 _____ är vi alltid på landet och firar med släkt och

vänner. Nu _____ kommer vi att vara

40 personer. Det blir kul.

8 Substantiv: obestämd och bestämd form

A Kombinera exempel och förklaring.

---

a Carina talar flera språk.

b Den här veckan har varit stressig.

c Han hämtar och lämnar på förskolan.

d Jag spelar ofta golf.

e Selin fick ett jobb i Göteborg.

f På sommaren brukar hela familjen segla tillsammans och på vintern åker de skidor.

g Selin fick ett jobb i Göteborg. Jobbet är jätteintressant.

h Selin ska resa till Istanbul nästa sommar.

i Selins man är översättare. Deras barn är sju och fem.

j Förut gick Anna ofta ut på krogen.

k Katinka har ett nytt jobb. Kollegorna är jättetrevliga.

---

1 __b__ **Bestämd form:** Efter demonstrativa pronomen (*den/det/de här/där*).

2 ____ **Obestämd form:** Efter possessivt pronomen och genitiv.

3 ____ **Obestämd form:** Efter "kvantitetsord": *ingen/inget/inga, någon/något/några, många, flera, olika, tre* o.s.v.

4 ____ **Obestämd form:** Efter *nästa* och *samma*.

5 ____ **Obestämd form:** I många verbfraser när man tänker på något generellt/inte specifikt: *sjunga i kör, åka buss, spela piano, dricka te.* Ingen artikel. Jämför: *Jag tar bussen.* = specifik buss

6 ____ **Bestämd form:** När det inte är första gången vi pratar om något.

7 ____ **Obestämd form:** När informationen är ny för den som lyssnar/läser. Med obestämd artikel (*en/ett*)

8 __c__ **Bestämd form:** När vi pratar om något specifikt/känt objekt eller koncept – den som lyssnar eller läser vet vad vi menar.

9 ____ **Bestämd form:** I en del tidsuttryck när det handlar om vad man brukar göra; *på vintern/vintrarna, på kvällen/kvällarna, på julen/på jularna.*

10 ____ **Bestämd form:** När något är en naturlig del av något man pratar om; *bondgård – djuren, dator – skärmen, lägenhet – köket* o.s.v.

11 __j__ **Bestämd form:** I många verbfraser när man inte tänker på själva byggnaden eller personen, utan på funktionen de har; *gå på banken, gå till doktorn, gå till frisören.*

14

1 Ordföljd: indirekt tal

Kan ni komma på fredag kväll?	Hon undrar om vi kan komma på fredag kväll.
Fredag passar inte så bra.	Han säger att fredag inte passar så bra.
Vad ska vi ta med oss?	Han undrar vad vi ska ta med oss.

Indirekt tal = bisats
Ja/nej-fråga: X *undrar/frågar/vill veta* + om + bisats
Påstående: X *säger/tycker/tror* + att + bisats
Frågeordsfråga: X *undrar/frågar/vill veta* + frågeord + bisats

A Skriv *att, om, var, vad,* eller *när*.

1 Carlos undrar _____ de ska äta till middag.

2 Lena frågar _____ banken ligger.

3 Peter frågar _____ det är kallt i vattnet.

4 Pia säger _____ filmen är jättebra.

5 Nils undrar _____ Kajsa är gift.

6 Hannah vill veta _____ festen börjar.

7 Tina frågar _____ Pelle bor.

8 Valle undrar _____ de ska göra efter bion.

B Skriv meningarna i A i direkt tal.
Exempel:

Carlos: Vad ska de äta till middag?

_____

(C) Ändra till indirekt tal och skriv in meningarna i positionsschemat här nedanför. Tänk på om det är ja/nej-fråga, frågeordsfråga eller påstående.

Berit: Jag har talat med Sara.
Kurt-Allan: Kommer de på fredag?
Berit: De kunde inte komma då.
Kurt-Allan: När kommer de?
Berit: De kommer till lunch på lördag.
Kurt-Allan: Vad vill de äta?
Berit: De vill gärna äta sill och potatis.
Kurt-Allan: Kan vi inte äta älg till middag?
Berit: Det låter bra.

	Huvudsats	Bisats-inledare	Subjekt	Sats-adverb	Verb 1+2	Komple-ment	Plats/tid
	Berit säger	att	hon		har talat	med Sara.	
1							
2							
3							
4							
5							
6				gärna	vill		
7							till middag
8							

2 Relativa bisatser

Där, mellan träden, ser man ett rött hus som ligger precis vid vattnet.

Berit vet ett ställe där det brukar finnas många kantareller.

Senare på eftermiddagen, när de är hemma igen, bakar Kurt-Allan en blåbärspaj.

Som, där och *när* börjar bisatser. *Som, där* och *när* refererar till ordet/
substantivfrasen före.
Där refererar till en plats och *när* refererar till en tidpunkt.
Efter *där* kommer alltid ett annat subjekt: Huset där vi bor är byggt 1929.
$\underset{S}{}$

OBS! *Var* kan inte inleda en relativ bisats på svenska:
Jag vet ett ställe var → där det finns många kantareller.

A Skriv *som, där* eller *när*.

1 I morse _____ jag vaknade, var jag jättetrött.

2 Jag har många vänner _____ kommer från Indien.

3 Vi har ett landställe _____ är jättefint.

4 Kontoret _____ jag jobbar är ganska litet.

5 På kvällen, _____ jag har ätit middag, går jag ut med hunden.

6 Vet du något ställe _____ det finns mycket blåbär?

7 Barcelona är en stad _____ aldrig sover.

8 Efter jobbet, _____ jag är trött, brukar jag ofta ta en tupplur.

9 Jag vet en restaurang _____ man kan äta svenska delikatesser.

10 Jag har en kollega _____ har fem hundar.

B Komplettera meningarna. Tänk på ordföljden.
Exempel:

Jag har en kompis som …

> *Jag har en kompis som kan tala sju språk.*

1 Jag var på ett museum där …

2 Igår, när …

3 Jag har en kusin som …

4 Jag vet en restaurang där …

5 De har köpt en bil som …

6 Förra veckan, när …

7 Jag tycker inte om mat som …

8 Lägenheten där …

(3 Subjunktioner

Innan de tar färjan köper de glass i kiosken.
Medan Brian arbetar bakar Sara kanelbullar.
De sitter ute och äter trots att det är ganska kallt. *DESPITE ALTHOUGH*
Man badar i havet även om det är lite kallt i vattnet ibland.
När de har fikat går de ut i skogen för att plocka blåbär och kantareller. *TO*

Tid:	Kontrast:
innan	*trots att* ("faktum")
medan	*även om* ("hypotes")

Avsikt:
för att
Om det är samma subjekt i båda satserna har vi normalt infinitiv efter *för att: De går ner till havet för att bada.*

Skriv *innan, medan, trots att, även om* eller *för att*. Ibland kan flera alternativ vara rätt.

1 Kristina badar varje dag _____ *or ÄVEN SOM* det är kallt i vattnet.

2 Du måste göra läxan _____ du går ut!

3 Axel städar _____ Simon lagar mat.

4 Vi tog en lång promenad igår _____ *TROTS ATT* det regnade och var kallt.

5 Jag läser en stund _____ jag somnar.

6 Isak joggade igår _____ det regnade.

7 Jag måste läsa flera gånger _____ förstå texten.

8 Jag åt upp allt _____ jag inte tyckte om maten.
TROTS ATT

Kopiering av detta engångsmaterial är förbjuden enligt lag och gällande avtal.

KAPITEL 14 • **135**

4 Utrop

> Vilken fin klänning du har!
> Vad gott det var!

I utrop använder vi ofta de här modellerna:
Vilken/vilket/vilka + adjektiv + substantiv + subjekt + verb
Vad + adjektiv + subjekt + verb

Sortera meningarna.

1 Vilket har piano fint ni !	5 Vilket köpt härligt har de hus !
2 Vilka du svåra ställer frågor !	6 Vilka byxor har snygga du !
3 Vad var det här svårt !	7 Vad är du gullig !
4 Vilken igår åt soppa god vi !	8 Vilken ni lägenhet trevlig har !

5 Ordföljd: bisats + huvudsats

A Skriv om meningarna så att bisatsen kommer först.
Exempel:

Vi går hem om det börjar regna.

> *Om det börjar regna går vi hem.*

1 Jag kan städa medan du lagar mat.

2 Lisa tänker resa till New York trots att det kostar mycket.

3 Vi tar en kaffe innan vi går ut.

4 De ska plocka svamp imorgon även om det blir dåligt väder.

5 Vi åker till havet nu eftersom solen skiner.

B Skriv rätt ordföljd i huvudsatsen.
Exempel:

| vi börjar | När du kommer _börjar vi_ _____. |

1 Om du kan komma _____.
(vi blir glada)

2 Eftersom det regnar _____.
(vi går ut inte)

3 När det regnar _____.
(inte badar vi)

4 När du har bakat bullar _____.
(vi ska fika)

5 Eftersom vi inte har dusch _____
_____.
(i havet vi måste bada)

6 När vi badar bastu _____
_____.
(inga kläder vi har)

7 Om det slutar regna _____
_____.
(vi dricka kaffe kan ute)

8 Om det inte slutar regna _____
_____.
(vi åker hem till stan)

9 Eftersom jag var på fest igår _____
_____.
(idag trött lite är jag)

10 Om vi hittar kantareller _____
_____.
(göra vi kan kantarellpaj)

6 Verb: grupp 4

A Skriv verbformerna. Se verblistan på www.nok.se/rivstart.

	Imperativ	Infinitiv	Presens	Preteritum	Supinum
1	bli!	bli	_blir_	_blev_	_blivit_
2	drick!	dricka	_dricker_		
3	förstå!	förstå			
4	gå!	gå		_GICK_	_GÅTT_
5	gör!	göra		_GÖR GJORDE_	_GÅTT GJORT_
6	ha!	ha		_HADE_	_HAFT_
7	kom!	komma		_KOM_	
8	se!	se		_SÅG_	_SETT_
9	skjut!	skjuta		_SKÖT_	
10	skrik!	skrika			
11	ta!	ta		_TOG_	_TAGIT_
12	var!	vara	_ÄR_	_VAR_	_VARIT_
13	–	veta	_VET_	_VISSTE_	_VETAT_
14	–	vilja	_VILL_	_VILLE_	_VELAT_
15	ät!	äta			

B Välj verb här ovanför och skriv dem i rätt form där de passar in.
Exempel:

– Jag _såg_ en älg igår.

– Nähä! Vad roligt! Jag har aldrig _sett_ någon älg.

1 – Igår _____ Klaus hem till oss. Han ___ _HADE_ ___ med sig tyskt öl.

– Jaha, vad _____ ni?

– Korv med surkål.

– Jaha. Surkål har jag aldrig ___ _ATIT_ ___. Är det gott?

– Ja, ganska.

2 Min son vill inte _____ vanlig mjölk. Han _Dricker_ bara varm choklad.

Jag _____ galen!

3 – Imorgon ska vi _____ en film som heter Jakten. Det är en thriller.

– Den har jag _____. Den _sett ok_ väldigt spännande!

4 Kurt-Allan _____ en älg förra året. Vi _____ den till middag när

Sara och Brian var hos oss på landet.

5 – _____ inte! Jag hör vad du säger.

– Jag _skriker_ inte, men jag pratar kanske lite högt.

6 Det _____ kallt i vattnet igår, så jag _ville_ inte bada. Men alla

andra badade.

7 – Vet du att Anne och Magnus har flyttat ihop?

– Nej, det _visste_ jag inte. Vad kul!

(7) Prepositioner

Skriv rätt preposition.

1 Många svenskar drömmer _om_ att ha en stuga _____ landet. Man vill gå

barfota _____ gräset, plocka bär _____ skogen och bada _____ havet.

2 _____ fredag kväll ska Marta och Johan åka ut _____ några vänner som har

en fin sommarstuga _i_ skärgården, precis _____ _vid_ vattnet. De köpte

stugan _på_ 80-talet. Det finns ingen dusch _____ stugan så Marta hoppas

att det inte är så kallt _____ vattnet.

3 (ett mejl) Gustav och Malin, vill ni inte komma ut _____ oss _på_ landet

_____ lördag? Vi är alla bjudna _på_ knytis _till/hos_ våra grannar. Man ska

ta med sig något att lägga _på_ grillen. De fixar resten. Jag har kollat bussarna.

De går fyra gånger _____ timmen. När ni ska tillbaka _____ stan kan ni

åka med Gösta.

Hoppas att ni vill och kan komma!

8 Verb

Skriv verb som passar i rätt form. Alla verb finns i kapitel 14 i textboken.

Vi har en stuga på landet där vi brukar vara på semestern. Det är härligt, men

vi har också mycket som vi måste göra. I år ska vi _____ om huset. Det

1

ska bli rött. Varje vecka måste vi _Klipp___ gräset och den här helgen ska vi

2

_____ ved.

3

Men landet är såklart inte bara arbete. Jag tycker om att gå i skogen och

_____ blåbär och svamp på sommaren. Vi har ett hemligt kantarellställe

4

och vi brukar hitta mycket svamp där. Det _____ så gott när man steker

5

kantareller i smör!

På kvällarna _TÄNDE__ vi grillen och våra grannar kommer ofta och äter

6

hos oss. De tar med sig något att _____ på grillen och vi fixar potatis, såser

7

och sallad. Det är trevligt!

När våra barn kommer och hälsar på brukar vi _SPELA___ kort. Det är kul,

8

men ibland börjar vi _____ med varandra. Min dotter kan bli väldigt arg

9

när hon inte vinner.

Solen _____ ofta på landet, men ibland regnar det. Då är det härligt

10

att _____ bastu och sedan _HOPPA___ ner i vattnet, även om det är lite kallt.

11   12

Repetera

9 Possessiva pronomen och objektspronomen

Skriv rätt pronomen.

jag

1. Jag älskar _____ landställe. MINA föräldrar kommer ofta och hälsar på _____ där. Och nästa vecka kommer _____ bror. Det ska bli trevligt!

ni

2. Det ska bli jättekul att komma till _____ på middag och se ERT _____ hus! Hoppas att vi får träffa _____ ELA gulliga söner också! Och Smilla längtar efter att träffa _____ ER hund såklart!

du

3. – Nina, jag måste prata med _____ om några saker. Du har inte gjort _____ läxor den här veckan och du har inte städat _____ rum. Nu måste det bli lite ordning!

   – Jaja, pappa. Jag vet. Men får jag låna _____ DIN surfplatta en stund bara?

vi

4. Vill ni komma till _____ och ta en fika nu på söndag? Då får ni se _____ kök som vi har renoverat. _____ A grannar kommer också över en stund. Tyvärr är _____ dotter inte hemma för hon är på fotbollsläger då.

han/hon

5. – Jag har försökt ringa Jonas flera gånger den här veckan, men han svarar inte. Har du pratat med _____?

   – Han sms:ade mig förra veckan. _____ mormor är sjuk och Jonas hälsar på _____ HENNE varje dag. Han brukar gå ut med _____ hund också eftersom hon inte orkar göra det själv.

   – Jaha, då förstår jag.

de

6. Kommer du ihåg Arne och Anita? Vi var hemma hos _____ DEM förra veckan. _____ hus är jättefint nu när de har renoverat det!

15

1 Reflexiva possessiva pronomen

		Subjektspronomen	Possessiva pronomen	Reflexiva possessiva pronomen
singular	1	jag	min/mitt/mina	
	2	du	din/ditt/dina	
	3	han	hans	sin/sitt/sina
		hon	hennes	
		den/det	dess	
plural	1	vi	vår/vårt/våra	
	2	ni	er/ert/era	
	3	de	deras	sin/sitt/sina

Olivia har en hund. Olivia älskar sin hund.

Pelle och Uffe har ett fint hus. De gillar sitt hus.

Olof har många saker hemma. Han gillar sina saker.

Sin/sitt/sina refererar till subjektet (tredje person) i samma sats.

Kurt älskar sin telefon. Hans telefon är ny.
Kattis gillar sitt hus. Hennes hus var ganska dyrt.
Kattis och Kurt bor med sina två katter. Kattis och Kurt och deras katter trivs i huset.

Sin/sitt/sina kan inte vara del av subjektet.

A *Sin, sitt, sina* eller *hans, hennes, deras*?

1 Sofi ringde _____ man på lunchen. Ikväll ska Sofi och
_____ *Hennes* man gå ut.

2 Daniel går ofta på operan med _____ pojkvän. Daniel och
_____ *hans* pojkvän älskar opera.

3 Rolf renoverar _____ hus. _____ hus är byggt 1920.

4 Kattis och _____ pojkvän dansade hela kvällen.

5 Ann går ut med _____ hundar klockan sex varje morgon.

6 Claes och Hedvig har fem barn. Alla _____ barn går i samma skola.

7 Varje söndag träffar Patrik _____ föräldrar. _____ föräldrar

bjuder honom på middag.

8 Nästa vecka ska Annika resa till _____ bror. _____ bror

bor i Sydney.

9 Per och _____ syster går på universitetet. Per äter ofta lunch med

_____ syster.

10 Isabel och Elias har två hundar. _____ hundar är jättegulliga.

De går ut med _____ hundar fyra eller fem gånger om dagen.

B Läs texterna. Ändra *jag* → *han/hon* och *vi* → *de*
Exempel:

Jag och min sambo …

Han och hans sambo …

1 **Kenneth**
Jag och min sambo bor med vår hund i en lägenhet utanför Malmö. Min sambo heter Olof och vår hund heter Laika. Vi älskar vår hund! Vår hund är glad och vill alltid leka.

2 **Katarina**
Jag och min familj bor i en lägenhet mitt i stan. Vår lägenhet är inte stor men mysig. Vi gillar verkligen vår lägenhet. Vi har ofta middagar och fester och bjuder in våra vänner.

3 **Wang och Bing**
Vi kommer från Kina. Vi forskar i Sverige nu. Vår forskning handlar om cancer. Vi bor i en forskarlägenhet med vår son och våra två katter. Vår son går på gymnasiet.

C Skriv 10 egna exempel med *sin/sitt/sina*.

2 Självständiga pronomen

När någon pratar med dig måste du ...
När man kommer till Arlanda pratar ingen.
På vintern längtar alla efter våren och sommaren och ljuset.
Då vet många vilka datum det är.
Och en del mår dåligt av mörkret ...
– Var det något du ville säga? – Nej, det var inget.

Man kan använda
pronomen själv-
ständigt, utan
substantiv.

OBS!
*inte någon/något/några
= ingen/inget/inga
alla = allihopa*

Skriv *någon/något, ingen/inget, många, alla* eller *en del*. Ibland kan flera
alternativ vara rätt.

1   – Det var svårt första tiden i Malmö, för jag kände _____ .

    – Kände du inte _____ ?

    – Nej, men när jag började jobba blev det bättre. _____ på jobbet var

    jättetrevliga.

2   – Hur är svenskarna?

    – Jag vet inte. _____ är ganska tysta men absolut inte _____ .

EN DEL *handwritten*
MÅNGA _____ är ganska pratsamma.

3   – Jag hittar inte klass 3b. Det är _____ i klassrummet.

4   – Känner du _____ som är bra på datorer?

    – Ja, min systerson är jätteduktig.

    – Han kanske kan hjälpa mig. Det är _____ NÅGOT med min dator.

5   – Pappa! Det är så tråkigt. Jag har _____ att göra.

    – Ska vi rita _____ ?

    – Okej!

6   – Är Susanne i vardagsrummet?

    – Nej, det är _____ där.

7   – Förlåt, sa du _____ ?

    – Äsch, det var _____ .

3 Possessiva pronomen och reflexiva possessiva pronomen

Skriv rätt possessivt pronomen eller reflexivt possessivt pronomen. Ibland kan flera pronomen vara rätt.

Exempel:

Vi har två katter och två hundar. _Våra_ katter heter Fia och Lia.

1 – Du Bertil, vad heter ___DINA___ barnbarn?

   – De heter Felicia och Amanda.

2 Cecilia ska inte gå på kvällskursen ikväll. _____ pappa fyller 80.

3 David kan inte åka på semester. ___Hans___ chef sa att han måste jobba i stället.

4 Fredrika pratar med ___sin___ mamma varje dag.

5 Jag ska träffa ___mina___ föräldrar imorgon. Mamma fyller år.

6 Jag älskar _____ katt. Hon är jättegullig.

7 Lars och Maria måste reparera ___sin___ _sitt_ hus.

8 Jag tycker mycket om ___mitt___ jobb.

?–9 Martin och ___hans___ flickvän ska köpa ny bil.

10 Min familj fick ___sitt___ efternamn i början på 1900-talet.

11 – Patrik, kan jag få ___ditt___ telefonnummer?

    – Javisst.

12 – Steven, var bor ___DINA___ systrar?

    – I Irland.

13 Svenskarna älskar ___sina___ husdjur.

?–14 Lisa stannar hemma från jobbet idag. ___HENNES___ son är sjuk. SIN CAN'T BE subject?

15 – Kurt och Camilla, vad heter ___ERA___ papegojor?

    – Piraten och Kaptenen.

4 Adjektiv

Välj adjektiv ur rutan och skriv dem i rätt form där de passar in. Du kan använda samma ord flera gånger. Ibland kan flera alternativ vara rätt.

> mild   nöjd   skön   snabb   svettig   tjock   tom   tunn

1 Det är inte så _____ att bada när vattnet är under 15° C.

2 Gå inte på isen! Den är _____ och farlig.

3 I mars var vädret ganska _____. Det var plusgrader nästan varje dag.

4 Jag köpte en _____ vinterjacka på nätet. Den är varm och _____.

5 Kan du skära brödet i _____ skivor? Jag gillar inte när de är

   för _____.

6 När Ulla fyllde år hade hon en fest för alla vänner. Hon var _____ med

   festen. Den blev precis som hon ville.

7 Det var _____ på tåget så jag kunde välja sittplats.

8 Ullis är _____. Igår sprang hon en mil på 35 minuter. Efteråt var hon

   ganska _____.

5 Prepositioner

Skriv rätt preposition.

1 _____ sommar ska jag vara _____ landet tillsammans _____ mina barn. Vårt

   landställe ligger en bit _____ stan. Vi tar bilen dit. _____ semestern brukar jag

   bjuda in vänner på lunch. Vi äter och pratar _____ vädret och vattentempera-

   turen. Förra sommaren var vattnet _____ 14 och 17 grader, ganska kallt alltså.

2 Igår ringde en man _____ IT-nu och frågade _____ mitt internet. Han hette

   Knut men sa inte vad han hette _____ efternamn.

3 Alla är intresserade _____ vädret _____ Sverige. Speciellt på sommaren när man

   är _____ semester. Det är inte bra om det regnar länge. Man kan bli deppig

   _____ för mycket regn.

Kopiering av detta engångsmaterial är förbjuden enligt lag och gällande avtal.

Repetera

6 Adverb för position, destination, från destination

Skriv något av orden till vänster.

var vart **varifrån**	1 – _____ har ni sommarstuga? – I skärgården. Men vi ska sälja den för vi ska flytta utomlands. – Jaha, _____ då? – Till Spanien.
där dit **därifrån**	2 – Har du varit i Norrköping? – Nej, jag har aldrig varit _____ men jag skulle gärna åka _____ och titta på museerna och de gamla industri- byggnaderna i centrum.
uppe upp **uppifrån**	3 – Har du varit _____ i Kaknästornet? Där _____ ser man hela Stockholm! – Ja, och det finns en restaurang där _____ också.
ute ut **utifrån** **inne in** **inefrån**	4 – När man är _____ för länge kan man bli kall. Då är det bra att gå _____ så att man blir varm.
ute ut **utifrån**	5 – Var du _____ igår? – Ja, jag gick _____ med mina kollegor.

7 Verb: presens perfekt eller preteritum?

Skriv rätt form av verbet.

göra (4b) gå (4b) vara (4b) äta (4a)	1 – _GJORDE_ du något roligt i helgen? – Jag _GICK_ på restaurang med några gamla vänner. Det _VAR_ en kinesisk restaurang. Vi _ÅT_ jättespännande mat.
snusa (1) vara (4b) börja (1)	2 – Jag _____ i tre månader nu. _BÖRJADE_ – Det _VAR_ inte bra att du _____
vara (4b) ta (4a)	3 – Jag _HAR VARIT_ jurist i fem år. Du då? – Jag _TOG_ min examen 2012.
arbeta (1)	4 – Jag _____ över ganska ofta den här månaden. – Jaha, jag också Men jag _ARBETADE_ inte över igår.
lära (2a) gå (4b)	5 – Jag _HAR LÄRT_ mig att spela piano. – Vad bra! Hur då? – Jag _____ på kurs i höstas.

8 Tror/tycker

Skriv *tycker* eller *tror* i rätt form.

1 – _TYCKTE_ du att boken som du lånade var bra?

– Ja, den var bättre än jag _TRODDE_ faktiskt. Roligare och intressantare.

2 – Jag _____ att den här sommaren kommer att blir fin.

3 – Jag _____ att vår lärare är bra och rolig.

4 – Tåget kommer klockan 7:35, _TROR_ jag. Det är lite försenat.

5 – Vi måste gå nu. Mötet är klockan sju.

– Oj då! Jag _____ att det började klockan åtta.

6 – Vilken pizza ska du ta?

– Jag tar ofta nummer 35. Jag _____ att den är godast.

1 Subjunktioner

Man går bara i skolan för att lära sig olika ämnen. ~~subjects~~
Man kan lära sig mycket utan att göra en massa läxor.
Lärarna kan motivera sina elever genom att ge dem
många prov.

för att (syfte/mål)
utan att (man behöver/gör
inte)
genom att (hur/på vilket sätt)

När subjektet i båda satserna
är samma har vi oftast infinitiv
efter *för att, utan att* och
genom att.

10/11

A Kombinera. Dra streck.

1 Enrique lärde sig många nya verb
genom att **d**

2 Pia har svårt att somna utan att **b**

3 Jag vet inte hur jag ska göra för att **e**

4 Ibland säger man saker utan att **e**

5 Elena fick många vänner genom att **a**

6 Anton tog taxi för att **c**

a gå på danskurs.

b läsa en stund först.

c komma hem snabbt.

d repetera ofta.

e tänka.

f sluta röka.

B Skriv *för att, utan att* eller *genom att.*

1 – Hur ska man få bra uttal?

– Tja, man kan lära sig mycket **GENOM ATT** lyssna på folk som pratar
och sedan imitera.

2 – Arvid är så smart! Han klarar alla proven **UTAN ATT** läsa en massa.

– Ja, jag förstår inte hur han gör. Han pluggar aldrig.

3 – Jag kan inte lära mig nya ord **UTAN ATT** läsa dem. Om jag bara hör
dem glömmer jag dem direkt.

– Det är samma sak för mig.

Kopiering av detta engångsmaterial är förbjuden enligt lag och gällande avtal.

KAPITEL 16 • **149**

4 – Hur ska man göra **för att** träffa en partner?

– Har du prövat nätdejting?

5 – Nu kan jag förstå franska filmer **utan att** läsa texten! Jag lyssnar bara.

– Vad bra!

6 – Hur ska jag göra **för att** såsen ska bli god?

– Häll i lite grädde så blir den bra.

2 Relativa bisatser med satsadverb

> Det fanns en lärare som jag inte tyckte om.
> Man vill göra saker som man inte får göra.
> Jag var en riktig plugghäst som alltid ville lära mig nya saker.

I relativa bisatser kommer satsadverbet före första verbet.
Som kan vara subjekt i bisatsen.

Skriv om meningarna med *som.*
Exempel:

Min kompis har en hund. Jag har aldrig tyckt om den.
Nina åt en korv. Den var inte god.

> *Min kompis har en hund som jag aldrig har tyckt om.*
> *Nina åt en korv som inte var god.*
> _____

1 Stina såg en film igår. Hon gillade inte den.

2 Igår tittade vi på en ny bil. Vi ska kanske köpa den.

3 Jag har en kusin. Hon tycker inte om katter.

4 Jag har en kompis. Hon vill aldrig prata svenska.

5 Andreas har en soffa. Han vill inte ha den längre.

6 Anna dejtade en man. Han hade inte barn.

7 Jag har en kollega. Hon äter alltid hamburgare till lunch.

8 Läraren fick en fråga. Han förstod inte den.

3 Presens futurum

Jag ska fortsätta studera svenska i Vilnius.
Det kommer kanske att bli svårt att hitta fast jobb.
Jag är färdig med min examen om två år.

Ska + infinitiv: subjektet bestämmer/vill/planerar.
Kommer att + infinitiv: naturlig process eller logisk konsekvens. Subjektet bestämmer/vill/planerar inte.
Presens: ofta med framtids-uttryck, t.ex. *imorgon*, *på lördag* eller *nästa år*.

A Välj fraser ur rutan och skriv dem där de passar in.

> kommer att vara   ska packa ner   ska spela   kommer att ha
> kommer att bli svårt   börjar   ska plugga   åker

Jag _____ 1 _____ i Umeå <u>nästa år</u>. Jag _____ 2 _____ till

Sverige <u>den 1 januari</u> för universitetet _____ 3 _____ i slutet på januari.

Det _____ 4 _____ kallt och mörkt <u>i januari och februari</u>.

Jag _____ 5 _____ tjocka tröjor och en varm jacka.

Vi _____ 6 _____ föreläsningar och seminarier <u>på vardagarna</u>.

Några föreläsningar är på svenska. Det _____ 7 _____

att förstå vad lärarna säger <u>i början</u> eftersom jag bara kan lite svenska.

Jag _____ 8 _____ tennis och åka skidor <u>på helgerna</u>.

B Skriv om meningarna i A med de understrukna orden först.
Exempel:

> *Nästa år ska jag plugga i Umeå. Den 1 januari ...*

C Skriv *ska* eller *kommer att*.

1 – Har du hört att Johan _____ byta jobb och börja arbeta

på bank?

– Nej, det visste jag inte. Det _____ passa honom bra.

2 – Vi _____ SKA flytta på lördag. Det _____ bli jobbigt!

– Oj. Jag kan hjälpa till om ni vill.

3 – Tror du att det _____ bli en kall vinter i år?

– Ingen aning faktiskt.

4 – Pappa, jag tror att provet på fredag _____ Kommer Att vara jättesvårt,

så jag _____ plugga hela veckan.

– Så bra!

5 – Jag tycker att vi _____ ta med smörgåsar när vi åker till

farmor och farfar.

– Varför då?

– Det är en lång resa dit så vi _____ bli hungriga på vägen.

6 – Jag tror att Tyskland _____ vinna över Sverige i fotbolls-

matchen.

– Det tror jag också!

7 – Vi _____ SKA måla vårt hus vitt i sommar.

–Vilken bra idé! Det _____ bli jättesnyggt.

4 Tidsuttryck

Jag är färdig med min examen om två år.
Då ska jag söka jobb som översättare. Först ska
jag studera på KTH ett år. Sedan ska jag göra
min praktik här.

då = samtidigt
först = före
sedan = efteråt

A Skriv *då*, *först* eller *sedan*.

1 Vi ska gå på bio, men __först__ ska vi ta en öl.

2 Tåget går klockan 9. __Då__ måste vi vara på stationen.

3 Jag har semester i juli. _____ ska jag inte göra någonting.

4 – Vad ska du göra på semestern?

   – På semestern ska jag _____ åka till fjällen och _____

   ska jag åka till västkusten. I augusti kommer min kusin hit.

   _____ ska vi gå på musikfestival tillsammans.

5 – Vad ska du göra efter examen?

   – _____ ska jag söka jobb.

6 – Vad ska du göra efter kursen?

   – _____ ska jag köpa mat, __sedan__ ska jag åka hem. Jag kommer

   att vara hemma klockan sju ungefär. __Då__ ska jag laga en god middag.

7 Jag brukar vakna vid 6 på morgnarna. _____ är jag jättepigg!

   _____ springer jag 7 kilometer och _____ äter jag frukost.

B Skriv 5 meningar med *då*, *först* och *sedan*.

5 Prepositioner och verbpartiklar

A Skriv rätt preposition eller verbpartikel.

1 Jonatan trivdes bra ___1___ skolan, men i slutet ___2___ nian var han ganska

trött _på_3 att plugga. Han gick ___4___ nian i alla fall och började gymnasiet,

men hoppade ___5___ efter en termin. Efter ett par år började han läsa

_på_6 komvux och nu är han färdig _med_7 sina gymnasiestudier. Han fick bra

betyg ___8___ alla ämnen, så jag tror att han kommer _in_9 på universitetet.

2 Hur hård disciplin ska man ha i skolan? Jag tycker att det är viktigt att eleverna

kommer ___1___ tid till lektionerna. De ska lyssna _om_2 lärarna och inte bara

sitta och drömma _um_3 annat. Eleverna måste ha respekt ___4___ sina lärare,

men ska absolut inte vara rädda _för_5 dem. Men det måste också vara roligt

att gå _i_6 skolan såklart!

3 Min dotter vill inte börja plugga _på_1 universitetet direkt efter gymnasiet,

utan hon vill ta en paus _från_2 studierna och jobba ___3___ stället. Sedan vill

hon resa _runt_4 i Asien i ett halvår. Jag håller _med_5 om att det kan vara bra

att göra något annat. Men min fru tycker att hon ska söka _till_6 läkarlinjen

direkt.

B Ringa in verbpartiklarna i texterna här ovanför.

Repetera

10/15

6 Samordning med eller utan subjekt

Jag var en riktig plugghäst	och	ville lära mig nya saker hela tiden.
Jag satt i kassan i en mataffär	och	ibland jobbade jag extra i garderoben på en teater.
Vi studerade mycket	men	hade också många fester.
Jag hoppade av skolan	men	sedan pluggade jag på komvux.

Kommer du ihåg?

A Komplettera fraserna med orden till vänster och skriv subjekt där det behövs. Jörgen berättar om sin karriär.
Exempel:

började jobba

Jag hoppade av skolan och sedan

började jag jobba .

bytte jobb

1 Jag jobbade tre år på samma ställe men sedan

bytte jag jobb .

stannade fem år

2 Jag började jobba på en bank och där

STANNADE JAG FEM ÅR .

var pappaledig ett år

3 Sedan fick jag barn och

VAR PAPPALEDIG ETT ÅR .

började på en ny avdelning

4 Efter pappaledigheten kom jag tillbaka till jobbet och

BÖRJADE JAG PÅ EN NY AVDELNING .

slutade

5 Jag trivdes inte på den nya avdelningen och därför

JAG SLUTADE .

ska vara pappaledig igen

6 Nu har jag ett nytt jobb och nästa år

SKA JAG VARA PAPPALEDIG IGEN .

B Komplettera meningarna.
Exempel:

Jag ska gå ut snart men först …

> ⟩ *Jag ska gå ut snart men först måste jag skriva ett mejl.*

1 Elin är läkare och …
2 Amanda började på ekonomprogrammet men efter en termin …
3 Först ska jag fika och sedan … *gå till jobbet*
4 Vi hade många fester men … *vi pluggade också*
5 Axel är färdig jurist och nu … *har han ett jobb*
6 Louise tyckte inte att det var så roligt i skolan och … *nu är hon en städada...*
7 Nils ska börja på universitetet men först … *jobbar han på ett år*
8 Johan hade inte så bra betyg men … *var han mycket creativ*

⑦ Tidsprepositioner

Skriv rätt tidspreposition: *i, om,* eller *för … sedan.*

1 – Hur länge har du varit i Sverige?
   – Jag har varit här _~~för~~ i_ tre år nu.
   – Har du läst svenska?
   – Ja, jag började läsa svenska _för_ ett år _sedan_.
   – Jobbar du inte?
   – Nej, inte nu. Men jag ska börja _i om_ en månad.

2 – Hur länge har du bott i Sverige?
   – Jag har bott här _i_ fem år.
   – Okej. Ganska länge. Vad har du gjort under den här tiden?
   – Först läste jag svenska _i_ två år. _för_ tre år _sedan_ började

   jag jobba på ett kemiföretag.

3 – Hur länge har du gått i gymnasiet nu Ulrika?

– Jag har gått i gymnasiet ___i___ två år.

– Oj, går du i tvåan redan! Då tar du studenten ___om___ ett år. Tiden går!

4 – Mormor, när träffade du morfar?

– Det var ___för___ 49 år ___sedan___ . ___om___ ett år firar vi guldbröllop.

(8) Verb: grupp 4

Skriv de former som fattas.

Imperativ	Infinitiv	Presens	Preteritum	Supinum
---	finnas	finns	fanns	funnits
fortsätt!	förstå	förstår	förstod	förstått
få!	få	får	fick	fått
ge	ge	ger	gav	gett
ha	ha	har	hade	haft
---	heta	heter	hette	hetat
sitt!	sitta	sitter	satt	suttit
sjung	sjunga	sjunger	sjöng	sjungit
välj	välja	väljer	valdes	valt

(marginalanteckning:) fortsätta fortsätter fortsatte fortsatt

9 Substantivets former

	Singular		Plural	
Grupp	obestämd form	bestämd form	obestämd form	bestämd form
1	en högskola	högskolan	högskolor	högskolorna
2	en föreläsning	föreläsningen	föreläsningar	föreläsningarna
3	en rast	rasten	raster	rasterna
	en termin	terminen	terminer	terminerna
4	ett arbete	arbetet	arbeten	arbetena
5	ett universitet	universitetet	universitet	universiteten
	en översättare	översättaren	översättare	översättarna

Kommer
du ihåg?

A Skriv alla fyra formerna av orden. Vilken grupp är de?

SINGULAR		PLURAL		
Obestämd	Bestämd	Obestämd	Bestämd	Grupp
en advokat	advokaten	advokater	advokaterna	3

---

en börsmäklare · en ekonom · ~~en advokat~~ · en gata · en avdelning · ett ämne
en tonåring · en lektion · en lärare · ett jobb · ett företag · ett år
en plugghäst · en klass · en svensk · en ingenjör

B Välj ord ur rutan och skriv dem i rätt form där de passar in.

en tonåring · ett jobb · en lektion · en klass · ett företag · ett ämne · en svensk

1 – Vilka var dina favorit-_____ i skolan?

   – Historia och samhällskunskap.

2 – Det jobbar många _____ på vårt företag.

   – Vad bra! Då får du öva språket.

3 – Vi har bara tre _____ idag, så vi slutar till lunch.

   – Vad skönt!

4 – Kim är färdig ingenjör och nu söker hon _____ på

   olika _____

   – Hoppas att hon hittar något bra!

5 – Många _____ vill protestera mot en massa saker.

   – Ja. Det är normalt.

6 – Nora ska börja första _____ i augusti.

   – Oj, är hon så stor redan?

17

1 Jämförelser

Jag tror att lägenheten blir lika dyr som villan.
Det är roligare att bo med andra än att bo ensam.
Vilket alternativ är billigast?
Vilket alternativ är bättre?

---

lika + positiv + *som*
komparativ + *än*
När man vill välja ut en av två eller flera saker: superlativ

OBS!
När man vill jämföra verbfraser: *att* + infinitiv.
Om verbet är samma i båda verbfraserna kan man stryka *att* + verb i andra frasen. Exempel:
Det är dyrare att bo i villa än (att bo) i lägenhet.

A Skriv *än* eller *som*.

1 Perssons tomt är lika stor _____ vår.

2 Mount Everest är högre _____ Kebnekaise.

3 En liter bensin kostar ungefär lika mycket _____ en glass.

4 Det bor mer folk i en storstad _____ i en småstad.

5 Många bor hellre i villa _____ i lägenhet.

6 Hyran i den nya lägenheten är lika hög _____ i den gamla.

7 En Ferrari är dyrare _____ en Skoda.

8 Stina är lika lång _____ sin bror.

9 Svenska är lika lätt _____ engelska, men finska är nog

svårare _____ svenska.

10 Pepe sjunger bättre _____ han dansar.

B Positiv, komparativ eller superlativ? Skriv adjektiven i rätt form.

dyr 1 – Vilket är __Dyrast__, att bo i villa eller i lägenhet?

– Jag vet inte, men jag tror att en lägenhet i stan är _____

än ett hus på landet.

billig 2 – Den här lägenheten är mycket _____ än den vi tittade

på igår.

– Jodå, men jag tycker inte att den är speciellt _____.

– Nej, kanske inte. Men den är ändå _____ av alla vi har

tittat på.

stor 3 – Titta på grannarnas nya pool. Den är mycket __större__ än vår.

– Tycker du? Jag tycker att de ser lika __A__ ut.

– Nej, jag är säker på att deras är __större / störrss__.

bra 4 – Vad är __bäst__, att bo på landet eller i stan?

– Jag tycker att det är __bäst__ att bo på landet.

– Tycker du? Jag tycker att stan är _____ än landet. Då bor

man nära allt.

– Hmm, det är sant. Men för barnen är det __bättre__ att växa

upp på landet än i stan, eller hur?

liten 5 – Mamma, vilken stad är __minst__, Lillberga eller Storköping?

– Lillberga är _____ än Storköping, det hör man ju på

namnet.

– Ja, just det.

dålig 6 – Jag tycker att vår nya bil är mycket __sämre__ än vår förra.

– Va, du sa ju alltid att den gamla var så _____!

– Ja, kanske det. Då är de lika __A__.

C Skriv meningar med komparation. Skriv gärna flera olika alternativ.
Använd din fantasi.
Exempel:

Kaffe/te

> _Kaffe är starkare än te. Te är nyttigare än kaffe._

1 Stockholm/Mexico City

2 lägenhet/villa

3 potatis/pasta

4 vintern/sommaren

5 svenska/kinesiska

6 opera/hiphop

7 hundar/katter

8 att jobba som lärare/att jobba som läkare

9 att prata svenska/att prata engelska

10 att diska/att tvätta

2 Verb för position: sitter/ligger/står om saker

Det sitter några svartvita fotografier på väggen i vardagsrummet. Det ligger en färgglad filt i soffan och bakom soffan står det en dyr designlampa.

Det står att huset är byggt 1909.
... lägenheten ligger fem minuter från Rolfs jobb.

---

stå = Något har en vertikal position t.ex. en bok, en golvlampa eller en vas.
ligga = Något har en horisontell position, t.ex. en bok. Eller något är helt platt, t.ex. en matta, en duk eller ett löv.
sitta = Något är fast/fixerat, t.ex. en spegel eller ett foto på väggen.

OBS!
Några saker har tydlig över- och undersida, t.ex. skor, eller en tallrik. Då använder vi _stå_.
Exempel: _Skorna står i hallen._ Vi kan använda _ligga_ också. Då är sakerna inte "i ordning".
Exempel: _Ingen har städat så det ligger en massa skor i hallen._

Stå använder vi också om text.
Ligga använder vi också om geografi.

A Fyll i formerna som fattas. Vilken verbgrupp hör verben till?

Verbgrupp	Imperativ	Infinitiv	Presens	Preteritum	Supinum
	i	sitta			suttit
	ligg!				legat
	stå!				stått

B Skriv *sitta, ligga* eller *stå* i rätt form där det passar in.

1 Mitt rum är ganska stökigt just nu. På golvet _____ en massa strumpor

och det _____ fem par skor framför sängen. Jag har ett par gamla skidor

som _____ mot väggen. Det _____ *ligger* en massa papper på mitt skriv-

bord och datorn som _____ på hyllan fungerar inte. Jag måste verkligen

fixa mitt rum!

2 Så här ser mitt studentrum ut. Det _____ ganska många foton på en

vägg. Det _____ en fin matta på golvet. Och det _____ en lampa

på skrivbordet så att jag kan plugga ordentligt.

3 Lägenheten vi tittade på var jättefin. I köket _____ ett fint bord med fem

stolar. På bordet _____ *låg* en jättefin duk. På väggen _____ en vacker

tavla. I vardagsrummet ___ *stod* ___ en julgran. Det var jättemysigt.

4 Jag ska berätta lite om vårt hus. Det _____ lite utanför stan. På dörren

_____ *sitter* en skylt där det _____ "Välkommen". Det _____ en

massa fotografier av vänner och familj på väggen i hallen. Det _____

många intressanta böcker på en hylla i vardagsrummet. På soffbordet _____ *ligger*

några stora fotoböcker.

C Beskriv ett rum i din lägenhet eller i ditt hus.

3 Presentering

Det hänger en kristallkrona i hallen.
Det sitter några svartvita fotografier på
väggen i vardagsrummet.
Det finns regler för hur mycket man ska
betala när man hyr i andra hand.
Det är mycket folk på visningen.
Det kommer en tiger på gatan. Hjälp!

Det + verb + substantiv i obestämd form =
presentering

Verbet är ett "existens-verb" (t.ex. *vara,
finnas, hänga, sitta*) eller ett rörelseverb
(t.ex. *gå, komma, åka*). *motion verb*

Substantivet har obestämd form.
Substantiv som man kan räkna har *en/ett*,
när de är i singular. *count*

A Skriv meningar med presentering.
Exempel:
stå/lampa/i sovrummet

Det står en lampa i sovrummet.

1 stå/par skidor/mot väggen

2 finns/mycket öl/i kylskåpet

3 var/mycket folk/på festen

4 stå/säng/i gästrummet

5 sitt/magnet/på kylskåpet

6 ligg/filt/på sängen

7 häng/lampa/i taket

8 stå/vas/på pianot

9 ligg/papper/på skrivbordet

10 finns/bra restaurang/vid torget

 B Beskriv bilden.

Exempel:

Det står en grill på gräsmattan.

4 Ser + adjektiv + ut

Hon ser trevlig ut.
De ser trevliga ut.

Partikelverb med adjektiv: *ser* + adjektiv + *ut*
Adjektivet böjer man efter subjektet i meningen.

OBS!
Ordföljden: *Idag ser de trevliga ut.*

Skriv meningar med *se ut*.
Exempel:

idag han pigg	Igår var Erik sjuk men <u>idag ser han pigg ut</u>.
han bra	1 – Ulrik kan jobba som modell för _____.
Cecilia ledsen	2 – _____. Har hon gråtit?
Nu det bättre	3 – Vad bra att du har bytt gardiner! _____
	_____.
då Bertil förvånad	4 – Jag kom in i rummet och _____
	_____.
varför David ledsen	5 – _____?
	– Han fick ett dåligt betyg.
det stor för	6 – Tror du att vi kan ha det här skåpet hemma i vardags-
	rummet?
	– Nej, _____
de stor	– De här tavlorna då?
	– Nej, _____.
de saftig	7 – Ska vi köpa de här äpplena?
	– Ja, _____.
det jättegod	8 – Åh, har du lagat mat? _____.
	– Ja, kom och ät!
den mysig	9 – Ska vi äta på den här restaurangen?
	– Ja, _____.

Repetera

5 Subjunktioner

Skriv *utan att*, *för att* eller *genom att*.

1 Jan och Caroline var tvungna att flytta till en ny stad _____ söka jobb där.

2 Lisa fick en bra lön _____ säga att hon kunde få högre lön på ett annat ställe.

3 Man kan lära sig mycket svenska _____ tjuvlyssna på folk i tunnelbanan och på gatan.

4 Tentan var lätt för många studenter blev godkända _____ studera någonting.

5 De flesta går på universitetet _____ ta en examen.

6 Tjuvarna gick in i lägenheten och tog en massa saker _____ någon såg dem.

6 Relativa bisatser med satsadverb

Skriv om meningarna med *som*.
Exempel:

Jag har en hund. Den skäller ofta.

> *Jag har en hund som ofta skäller.*

1 Jag har köpt en lägenhet. Den har inte någon balkong.

2 Jag har en kompis. Han bor hos mig ofta.

3 Vi har en son. Han städar sällan sin lägenhet.

4 Maria känner en man. Han bor faktiskt på en husbåt året runt.

7 Relativa pronomen: som och där

Skriv *som* eller *där*.

1 Huset ___DÄR___ vi bor är byggt 1929.

2 Skolan ___DÄR___ Arne studerar heter Lillskolan.

3 Vad heter boken ___som___ du läser?

4 Vid huset finns ett garage ___DÄR___ man kan parkera.

5 Mannen ___som___ Stina pratar med bor i samma hus som vi.

6 Vet du någon bra plats ___DÄR___ man kan plocka svamp?

7 Mikael och Marie vill köpa ett hus ___som___ har många sovrum.

8 Kattis måste hitta ett hotell ___DÄR___ man får ha hund på rummet.

9 Svenssons har ett kök ___som___ är mycket praktiskt.

10 Känner du någon ___som___ kan laga tvättmaskiner?

8 Ordföljd: bisats + huvudsats

Sortera orden till meningar.

Exempel:

klippa man gräset måste	Om man bor i ett hus, måste man klippa gräset.
hyra andra kan i man hand	1 Om man inte har ett eget hyreskontrakt ...
till pendla man jobbet måste	2 Om man bor utanför stan ...
kanske hus bo man i vill	3 Om man har barn ...
husbåt bo man på kan en	4 Om man tycker om vatten ...
landet man på kan bo	5 Om man älskar naturen ...

18

1 Adjektiv: obestämd och bestämd form

Obestämt adjektiv	Bestämt adjektiv
en gul knapp	den gula knappen
ett grönt äpple	det här gröna äpplet
två gröna knappar	de här gröna knapparna

Bestämt adjektiv slutar på –a
(samma form som plural).
Den/det/de här/där + bestämt
adjektiv + bestämt substantiv

Skriv adjektiven i rätt form.

1 – Varför kommer det inget kaffe?

   – Du måste trycka på den här _____ (röd) knappen.

   – Jaha. Men här finns en _____ (blå) knapp också.

   – Den där _____ (blå) knappen är för mjölk.

   – Okej, tack.

2 – Herregud, vad mycket saker det ligger här i hallen! Vems är den här

   _____ (brun) tröjan? Och det här _____ (gul) paraplyet, vems

   är det? Och här ligger en _____ (röd) boll också. Hannah, är de här

   _____ (grön) strumporna dina? Och den här _____ (gammal)

   gamla

   skateboarden …Vems …? Hallå?! Kan någon svara?

   – Jaja, pappa. Vi ska ta våra grejer!

3 – Vilka fina kläder du har, mormor! Jag älskar den här _____ (fin) kjolen

   och det här _____ (vit) linnet! Och den här _____ (prickig) tröjan

   är också jättefin. Jag skulle också vilja ha en _____ (prickig) tröja. Och ett

   _____ (blommig) linne!

   blommigt

2 Adjektiv och substantiv: bestämd och obestämd form

1	Obestämt adjektiv + obestämt substantiv
en/någon/ingen	grön bil
ett/något/inget	grönt äpple
tre/många/några/inga	gröna bilar
2	**Bestämt adjektiv + bestämt substantiv**
den (här/där)	gröna bilen
det (här/där)	gröna äpplet
de (här/där)	gröna bilarna
3	**Bestämt adjektiv + obestämt substantiv**
min/Jennys	gröna bil
mitt/Jennys	gröna äpple
mina/Jennys	gröna bilar

SPECIAL:
en liten bil, ett litet äpple, två små bilar
den lilla bilen, det lilla äpplet, de små bilarna
min lilla bil, mitt lilla äpple, mina små bilar

"Kvantitetsord" (*en, sju, många, något* …) + obestämt adjektiv + obestämt substantiv
Den/det/de (här/där) + bestämt adjektiv + bestämt substantiv
Possessiva pronomen/genitiv + bestämt adjektiv + obestämt substantiv

---

A Skriv adjektiven och substantiven i rätt form.

ny mugg

1 – Har du sett min _____?

fin mugg

– Du menar den _____ som du köpte

i London?

vit skåp

– Ja, just det. Jag trodde att den var i det _____

_____, men jag hittar den inte.

– Har du tittat i diskmaskinen?

ny fjärrkontroll	2	– Hur fungerar den här _NYA_ _fjärrkontrollen_ ?
		– För att sätta på teven trycker du på den här
grön knapp		_gröna knappen_ , och för att stänga av
röd knapp		trycker du på den här _röda knappen_ .
svart knapp		– Och här är några _svarta knappar_ , vad gör man med dem?
tjock manual		– Jag vet inte. Jag måste nog läsa i den här _tjocka_ _manualen_ .
ny hund	3	– Har du sett Staffans _nya hund_ ?
		– Nej. Är den fin?
liten brun hund		– Ja, det är en _liten_ , _brun hund_ .
gammal hund		– Jaha. Är den finare än hans _gamla hund_ ?
		– Ja, det tycker jag.
ny sko	4	– Jag hittar inte mina _nya skor_ . Har du sett dem?
grön sko		– Menar du de _gröna skorna_ ?
		– Ja, precis.
svart påse		– Jag tror att de ligger i den _svarta påsen_ som står i hallen.
		– Okej, tack.

B Skriv rätt form av *liten*.

1 – Jag har hittat ett _____ hus som jag vill att vi tittar på. Det har

ett stort kök, en ___*lilla*___ hall, ett lagom stort vardagsrum och två

___*lilla* *små*___ sovrum.

– Varför tittar du alltid på så många ___*små*___ hus? Jag vill ha ett stort hus!

– Ja, men kommer du ihåg det ___*lilla*___ huset vi tittade på förra veckan?

Det var ju jättefint.

– Jo, men det var ju bara 35 kvadratmeter. Vi kan inte bo i ett så ___*litet*___

hus.

2 – Jag har ett ___*litet*___ problem. Jag hittar inga A3-papper.

– Har du tittat i det _____ rummet bredvid kopieringsmaskinen?

– Nej, jag ska göra det.

3 – Vet du att Moa har fått en ___*liten*___ katt? Jag vill också ha ett ___*litet*___

husdjur, pappa!

– Ja, men du har ju dina ___*små*___ akvariefiskar. Tycker du inte om dem?

– Nej, Moas ___*lilla*___ katt är mycket gulligare!

C Välj ord ur rutorna. Skriv så många kombinationer du kan.
Exempel:

> den gula blomman, de gula blommorna, min ...

den/det/de	gul	blomma	hus
min/mitt/mina	gult	blomman	huset
Eriks	gula	blommor	hus (plural)
		blommorna	husen

3 Telefondialoger

Kombinera fraserna till två dialoger: en formell och en informell.

Formell	Informell
– Bioteknik AB, god morgon.	– Ja, det är Martin.

- Jättebra, tack. Vi hörs snart!
- Det ska jag göra. Har hon ditt nummer?
- Det är bra. Själv då?
- Hej, mitt namn är Ulf Petterson. Jag söker Katarina Dahlén.
- Då ber jag henne ringa dig efter mötet.
- Du, vet du var Anna är? Hon svarar inte i sin telefon.
- ~~Bioteknik AB, god morgon.~~
- Tjena! Det var länge sedan! Hur är läget?
- Tja! Det är Olof.

- Ett ögonblick. Hon sitter i möte till klockan tre. Kan jag ta ett meddelande?
- Helt okej, faktiskt.
- ~~Ja, det är Martin.~~
- Anna? Ja, hon sitter här. Vänta, så kommer hon. Vi hörs!
- Ja, be henne ringa mig efter mötet, tack.
- Tack och hej.
- Ja, det gör vi. Ha det fint, hej då!
- Ja, det har hon.

4 Ord och grammatik

Fyll i ett ord som passar i luckorna. Alla ord finns i kapitel 18 i textboken.

1 Svenskar dricker i _____ 3–4 koppar kaffe per dag. Det är

vanligt _____ fikapauser på många svenska arbetsplatser. _____

en undersökning är varje fika 13 minuter lång.

2 – Vad gjorde ni igår?

– Vi åkte ut på landet och fixade lite, _____ löv och _____ båten

och så. Det var härligt på landet! Ni då?

– Vi hjälpte Anton som ska flytta _____ snart. Han är trött _____

att bo med mamma och pappa nu.

3 – Hej, jag skulle vilja beställa tid _____ klippning hos Tina.

– Jaha, då ska vi se. Hon har en tid torsdagen _____ 12 mars, klockan fem.

– Det blir bra.

4 Daniel Ek _____ sig att spela gitarr när han var 4 år. Han var också

mycket intresserad _____ datorer. När Daniel gick _____ gymnasiet

hade han inte så bra betyg. Han startade flera företag och _____ mycket

pengar, och när han _____ företagen blev han miljonär. Men han var

ändå inte lycklig.

5 – Välkommen till Stalab. _____ här är Maja Svensson.

– Hej, jag _____ Ulf Nilsson.

– Vem kan jag _____ ifrån?

– Peo Nyman.

– Ett _____ .

– Tack!

Repetera

5 Verb: grupp 2

	Imperativ	Infinitiv	Presens	Preteritum	Supinum
Grupp 2a	ring	ringa	ringer	ringde	ringt
Grupp 2b	läs	läsa	läser	läste	läst

Verb grupp 2 slutar på -er i presens.
Verb grupp 2b slutar på k, p, s, t eller x i imperativ.

Kommer du ihåg?

A Titta på verben i infinitiv här nedanför. Vilka verb är grupp 2a och vilka är grupp 2b? Skriv *a* eller *b* vid verben.

1 trycka ___

2 dröja ___

3 köpa ___

4 fylla ___

5 växa ___

6 känna ___

7 beställa ___

8 söka _b_

9 bestämma ___

10 glömma _a_

11 åka _b_

12 hälla _a_

13 ringa _a_

14 tycka _b_

B Skriv verben i A imperativ, presens, preteritum och supinum.

Imperativ	Presens	Preteritum	Supinum
tryck	trycker	tryckte	tryckt

C Välj verb från A och skriv dem i rätt form där de passar in. Du kan använda samma verb flera gånger.

1 – Varför kommer det inget kaffe?

 – Har du _____ på rätt knapp?

2 – Jag _____ upp i det här lilla huset. Vi bodde här i 12 år.

 – Jaha. Då hade du ganska långt till skolan?

 – Ja, vi _____ skolbuss varje dag.

3 – Jag kan inte _____ *bestämma* mig. Ska jag ta vaniljglass eller chokladglass?

 – Ta den glassen som du _____ *tycker* mest om.

4 – Varför _____ du inte farfar igår? Han satt och väntade vid telefonen hela kvällen.

 – Oj, det _____ jag! Jag _____ honom nu direkt!

5 – Kopiatorn funkar inte!

 – Har du _____ på papper?

6 – Hej, jag _____ Erik Holmqvist.

 – Var god *dröj*. Erik sitter i telefon just nu. Vill du vänta?

 – Nej, jag _____ tillbaka lite senare.

7 – Kan du hjälpa mig med kaffebryggaren?

 – Javisst. Vad är problemet?

 – Först _____ *häller* jag i vatten hit upp till markeringen, och sedan _____ jag på den här knappen, men det händer ingenting.

 – Okej, men du måste sätta i sladden också.

8 – Har du _____ mat till middagen?

 – Nej, jag _____ mig så trött. Kan vi inte _____ *ringa* till Casa Rita och _____ *beställa* pizzor? Jag orkar inte laga mat idag.

6 Verb: grupp 4

 A Skriv verben i rutan i imperativ, presens, preteritum och supinum.

ha	vara	välja	sitta	skina	se	gå
bli	finnas	be	göra	slippa	ta	vilja
komma	sälja	heta	dra	sätta	få	kunna

B Skriv egna meningar med verben. Försök att använda flera verb i samma mening.

Exempel:

> Igår var det jättekallt så jag ville inte gå ut.

7 Presens futurum

Skriv *kommer att* eller *ska*.

A1 ok

1 – Vad _____ du göra ikväll?

– Jag måste plugga till provet. Jag tror att det _____ bli svårt.

2 – Jag tror att det _____ bli en solig och varm sommar.

– Hoppas! Jag _____ bada varje dag om det blir varmt.

3 – Du _____ bli sjuk om du inte slutar röka.

– Jag vet. Jag _____ försöka sluta snart.

4 – Vet du att Anders och Olga _____ gifta sig på lördag?

– Ja, jag vet. De _____ bli lyckliga tillsammans, tror jag. De passar så bra ihop.

5 – De har bestämt att de _____ bygga en ny väg här.

– Åh nej! Vad mycket trafik det _____ bli!

19

1 Kortsvar

– Motionerar du?
– Ja, det gör jag. (= Ja, jag motionerar.)

– Dricker du mycket kaffe?
– Nej, det gör jag inte. (= Nej, jag dricker inte mycket kaffe.)

– Är det inte ett stressigt arbete?
– Jo, det är det. (= Jo, det är ett stressigt arbete.)

– Ska du ha semester snart?
– Ja, det ska jag. (= Ja, jag ska ha semester snart.)

> *Ja/jo/nej* + *det* +
> hjälpverb/*är*/*har*
> (eller: *gör*) + subjekt +
> (*inte*)

Svara med kortsvar.

1 Kan du inte dansa salsa? _____

2 Ska du gå ut ikväll? _____

3 Vill du lära dig perfekt svenska? _____

4 Har du hund? _____

5 Är du trött idag? _____

6 Har du syskon? _____

7 Snusar du? _____

8 Är du bra på svenska nu? _____

9 Arbetar du inte? _____

10 Tycker du om svensk mat? _____

2 Tidsprepositioner: hur ofta?

> Jag tar två tabletter **om** dagen.
> Jag springer ett par gånger **i** veckan.

> ... gång(er) *om* dagen/året
> Annars: *i* (sekunden/timmen/veckan o.s.v.)

A Skriv *i* eller *om* där det passar in.

Alice är mycket noga med hur hon lever. Hon äter minst tre frukter _____ (1) dagen. Fem gånger _____ (2) veckan äter hon fet fisk med mycket Omega-3. Hon äter bara rött kött en gång _____ (3) månaden. Hon dricker mycket grönt te, fem koppar _____ (4) dagen. Men en gång _om_ (5) året går hon på konditori och äter massor av tårta och kakor.

B Hur äter du? Skriv en liten text om det.

C Skriv svar på frågorna.

1. Hur ofta diskar du?
2. Hur ofta gråter du?
3. Hur ofta klipper du håret?
4. Hur ofta har du feber?
5. Hur ofta går du till tandläkaren?
6. Hur ofta äter du glass?
7. Hur ofta skriver du mejl?
8. Hur ofta dammsuger du?
9. Hur ofta går du på restaurang?
10. Hur ofta andas du?

3 Varje, varannan

- Har du ont varje dag?
- Nej, men varannan eller var tredje dag.

varje + sekund/minut/timme/dag/vecka/
månad/dygn/år
varannan + sekund/minut/timme/dag/
vecka/månad (en-ord)
vartannat + dygn/år (ett-ord)
var + tredje/fjärde/femte (ordningstal) +
sekund/minut/timme/dag/vecka/månad
(en-ord)
vart + tredje/fjärde/femte (ordningstal) +
dygn/år (ett-ord)

Skriv rätt tidsuttryck med hjälp av siffran i parentes.

Jag åker till Nederländerna _varje_____ (1) år.

Jag kollar på mobilen _varannan_____ (2) minut.

1 Eva klipper sig hos frisören _____ (3) månad ungefär.

2 Gregor har träff med bokklubben _____ (2) månad.

3 Ivar är jättestressad. Han kollar sina mejl _____ (1) minut.

4 Johanna går till tandläkaren _____ (2) år.

5 Halleys komet passerar oss ungefär _____ (75) år.

6 Farad åker på affärsresa till Schweiz _____ (6) vecka.

7 Hedvigs telefon är trasig. Hon hör bara _____ (2) ord.

8 Khadidja hälsar på sina vänner ungefär _____ (3) år.

   Men hon pratar med dem på videosamtal _____ (4)

   eller _____ (5) vecka.

9 Ulrika jobbar natt _____ (2) dygn.

10 Nattbussen går bara _____ (2) timme.

4 Adverb

Han går upp supertidigt ...

Men jag tycker att du ska tänka positivt.

Och prata lugnt med honom ...

Adverb beskriver verb.
Adverb är adjektiv + t
Några adverb slutar inte på -t
(t.ex. lite, gärna, ofta, sakta)

A Stryk under alla adverb i texterna.

1 – Har du läst Marklunds nya bok?

– Nej, jag tycker hon skriver så tråkigt.

– Tycker du? Jag tycker att hon skriver underbart. Hennes böcker är jätte-spännande.

2 – Elias sjunger vackert!

– Ja, han är en duktig sångare. Han kommer att bli känd när han blir stor.

3 – Varför går du så långsamt?

– Jag är trött. Jag tränade jättehårt igår.

4 – Varför svarade du inte när jag ringde?

– Jag sov djupt. Jag hörde inte telefonen.

– Okej, jag blev så orolig. Jag trodde det hade hänt något. Sedan sov jag dåligt hela natten.

B Välj adjektiv ur rutan, gör adverb och skriv dem där de passar. Du kan använda samma adverb flera gånger.

---

dålig   ful   hög   låg   snabb   vacker   försiktig

---

1 – Jag var på en jättebra konsert igår. Kören sjöng så _____ .

– Vad roligt!

2 – Förlåt, jag skriver så _____ . Jag hoppas att du kan läsa det här.

– Det är inga problem.

3 – Du talar för _____ . Jag hör inte vad du säger.

   – Förlåt, jag är jätteförkyld.

4 – Vi har jättefin utsikt. Vi bor _____ upp, på tolfte våningen.

   – Åh vad härligt!

5 – Har du sett hur _____ Paula springer?

   – Ja, hon är ganska vältränad.

6 – Öppna paketet _____ så att det inte går sönder.

   – Är det glas eller?

   – Du får se.

7 – Filmen var superbra men jag blev jätteirriterad på två personer som

   skrattade _____ hela tiden.

   – Usch, vad jobbigt!

8 – Hur var bilresan?

   – Bra, men Uffe kör så _____ så jag satt och mådde _____

   hela tiden.

9 – Är du redan klar med den där tjocka boken?! Vad _____ du

   läser!

   – Äsch, jag hoppade över en del sidor.

10 – Cykla _____ till skolan, det är mycket trafik.

   – Ja, ja …

5 Hos doktorn

Skriv rätt svar till frågorna. Välj bland svaren i rutan här nedanför.

> – Jodå, det gör jag. Men jag äter inte frukost.
> – Ett paket om dagen ungefär.
> – Ja, det gör jag. Jag går på pilates.
> – Sådär. Kanske fem, sex koppar om dagen.
> – Jo, jag har så ont i magen.
> – I ett par månader. Men det har blivit värre.
>
> – Ja, de hjälper lite.
> – Jag är journalist. Jag skriver på en kvällstidning.
> – Ja, receptfria värktabletter ibland.
> – Nja, då tar jag en kopp kaffe och en cigarrett.
> – Ja, det gör jag. Det blir ganska mycket övertid.

– Hej. Jag heter Åsa Wikström och är distriktsläkare här. Vad har du för problem?

– _Jo, jag har så ont i magen._

1 – Jaha. Hur länge har du haft ont?

_____

2 – Jag förstår. Tar du någon medicin?

_____

3 – Hjälper de, tycker du?

_____

4 – Äter du bra annars?

_____

5 – Äter du ingenting på morgonen då?

_____

6 – Röker du mycket?

_____

7 – Dricker du mycket kaffe?

_____

8 – Vad arbetar du med?

_____

9 – Arbetar du mycket?

– _____

10 – Motionerar du?

– _____

– Mmm. Vi ska ta några prover. Men jag tror inte att det är något allvarligt. Du borde nog vila ett tag. Och du bör undvika kaffe och cigarretter.

6 Ord

Välj ord ur rutan och skriv dem där de passar in.

> superhjälte   kändis   författare   skådespelare   seriefigur   politiker

1 Leonardo di Caprio är en berömd _____.

2 Spindelmannen är en _____ superhjälte

3 Thatcher var en engelsk _____.

4 Dostojevskij var en rysk _____.

5 – Vad är Paris Hilton egentligen?

   – En _____ kanske man kan säga.

6 Kalle Anka är en _____ seriefigur

7 Substantivets former

Skriv orden i singular bestämd form samt plural obestämd och bestämd form.

> en arm   en fot   en axel   ett öga   ett knä   en höft
> ett finger ett bröst   ett öra   en vad   ett lår   en armbåge
> en kind   en häl   en hand   en midja   en mage   ett ögonbryn

Exempel:

Singular obestämd	bestämd	Plural obestämd	bestämd
en arm	armen	armar	armarna

Repetera

8 Subjunktioner

Välj subjunktioner ur rutan och skriv dem där de passar in.

> eftersom   när   trots att   medan   innan   om

_____ jag kom hem från jobbet igår var jag jättetrött. Arbetsdagen
₁

hade varit mycket stressig. Precis fem minuter _____ jag skulle gå
₂

från kontoret ringde min farfar. Han är enormt pigg, _____ han
₃

är 95 år. _____ vi pratade kom ett mejl. Det var från ett företag i
₄

Frankrike. De skrev att vi måste beställa våra produkter nu, _____
₅

vi vill ha dem före semestern. _____ det är viktigt att vi får
₆

produkterna i tid, måste jag säga hej då till farfar och börja jobba igen.

9 Adjektiv och substantiv

Skriv rätt form av orden till vänster.
Exempel:

stark medicin	en	*stark medicin*
	den	*starka medicinen*
	många	*starka mediciner*
	de	*starka medicinerna*

grön hus	1 ett	
	det	A
	tre	
	de här	A EP

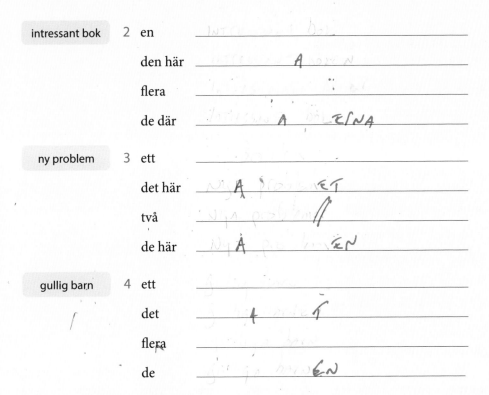

intressant bok	2 en	
	den här	
	flera	
	de där	
ny problem	3 ett	
	det här	
	två	
	de här	
gullig barn	4 ett	
	det	
	flera	
	de	

10 Ordföljd i bisats

Huvudsats	Bisats-inledare	Subjekt	Sats-adverb	Verb 1+2	Verb-partikel	Komple-ment	Adverb
Peter säger	att	han	inte	kommer	–––	–––	till jobbet idag

Satsadverb

inte	alltid
kanske	också
aldrig	faktiskt
sällan	tyvärr
ofta	gärna

Kommer du ihåg?

A Ändra till indirekt tal (= bisats).

Exempel:

Peter: Jag kan inte gå på bio imorgon.

Peter säger att han inte kan gå på bio imorgon.

1 Maria: Vi träffas aldrig.

2 Peter: Jag kan faktiskt inte komma.

3 Maria: Jag går gärna på bio nästa vecka.

4 Peter: Mormor kommer kanske nästa vecka.

5 Maria: Hon vill kanske också gå på bio.

6 Peter: Hon vill säkert det.

B Skriv in meningarna från övning A i ett schema.

Huvudsats	Bisats-inledare	Subjekt	Sats-adverb	Verb 1+2	Verb-partikel	Kom-plement	Adverb
Han säger	att	han	inte	kan gå	----	----	på bio imorgon.

C Sortera orden i rutorna till bisatser och komplettera meningarna.

inte Om komma du kan till jobbet	1 ... måste du ringa.
chefen Eftersom kommer inte	2 ... ska vi inte ha något möte.
chefen När är här	3 ... ska vi ha möte.
inte Om kaffe jag dricker	4 ... blir jag trött.
jag inte alkohol dricker Eftersom	5 ... tar jag ett glas vatten.

20

1 Verb: grupp 1-3

Grupp	Imperativ	Infinitiv	Presens	Preteritum	Supinum
1	jobba!	jobba	jobbar	jobbade	jobbat
2a	ring!	ringa	ringer	ringde	ringt
2b	läs!	läsa	läser	läste	läst
3	tro!	tro	tror	trodde	trott

Kommer du ihåg?

Komplettera schemat med former och verbgrupp.

Grupp	Imperativ	Infinitiv	Presens	Preteritum	Supinum
			använder		
	---		beror		
	---			hände	
				höjde	
	---				inträffat
	krocka!				
	köp!				
			kör		
				meddelade	
				sökte	
	åk!				

2 Verb: grupp 4a (it-verb)

vinner – vann – vunnit
sjunker – sjönk – sjunkit

Verb i grupp 4a
- slutar ofta på -er i presens
- ingen ändelse i preteritum
- supinum slutar på -it
- byter oftast vokal, till exempel i – a – u eller u – ö – u

Skriv presens, preteritum och supinum av verben.

Imperativ	Infinitiv	Presens	Preteritum	Supinum
		i	a	u
bind!	binda	*binder*	*band*	*bundit*
---	finnas			
hinn!	hinna			
sitt!	sitta			
spring!	springa			
		i	e	i
bli!	bli			
riv!	riva			
skin!	skina			
sprid!	sprida			
stig!	stiga			
vrid!	vrida			
		o	o	o
kom!	komma			
sov!	sova			
		u/y	ö	u
bjud!	bjuda			
frys!	frysa			
kryp!	krypa			
sjunk!	sjunka			
		ä	å	ä
ät!	äta			

3 Verb: grupp 4b (SPECIAL)

> går – gick – gått
> säger – sa – sagt

Verb i grupp 4b
* byter oftast vokal
* har ibland ändelse i preteritum och kan likna verbgrupp 2 eller 3, t.ex. säljer – sål<u>de</u> – sålt, förstår – förstod – förstå<u>tt</u>

Skriv presens, preteritum och supinum av verben.

Imperativ	Infinitiv	Presens	Preteritum	Supinum
gör!	göra			
ha!	ha			
se!	se			
säg!	säga			
var!	vara			

4 Substantiv: alla former

Komplettera schemat.

	Singular		Plural	
Grupp	Obestämd form	Bestämd form	Obestämd form	Bestämd form
3	en bank	banken	banker	bankerna
			bolag	
				jobben
				kranarna
			krockar	
	ett lån			
		lägenheten		
	en madrass			
			nyheter	
				personerna
		räntan		
			sändningar	
	en kund			

Kopiering av detta engångsmaterial är förbjuden enligt lag och gällande avtal.

KAPITEL 20 • **189**

5 Blandad grammatik

Ringa in rätt alternativ.

1 a Anna inte kan dansa tango.

  b Anna kan inte dansa tango.

  c Anna kan dansa tango inte.

2 a Igår var Pelle trött.

  b Igår har Pelle varit trött.

  c Igår är Pelle trött.

3 a Carlos har läst svenska för tre månader nu.

  b Carlos har läst svenska på tre månader nu.

  c Carlos har läst svenska i tre månader nu.

4 a Jag åt en pizza igår, men den var inte så god.

  b Jag åt en pizza igår, men var den inte så god.

  c Jag åt en pizza igår, men den inte var så god.

5 a Vi ska äta middag hem hos mormor ikväll.

  b Vi ska äta middag hemma hos mormor ikväll.

  c Vi ska äta middag hem till mormor ikväll.

6 c Ring mig imorgon!

  b Ringa mig imorgon!

  c Ringer mig imorgon!

7 a Hannah behöver att köpa nya kläder.

  b Hannah behöver köper nya kläder.

  c Hannah behöver köpa nya kläder.

8 a Jag ska träffa med min mormor imorgon.

  b Jag ska träffas min mormor imorgon.

  c Jag ska träffa min mormor imorgon.

9 a Vårt hus är litet.

  b Vårt hus är lilla.

  c Vårt hus är liten.

10 a Om du förstår inte, måste du fråga.

  b Om du inte förstår, måste du fråga.

  c Om du inte förstår, du måste fråga.

11 – Jag tycker inte om broccoli.

  a – Inte jag heller.

  b – Inte jag också.

  c – Jag också.

12 a Vet du varför Lisa är inte här?

  b Vet du varför är Lisa inte här?

  c Vet du varför Lisa inte är här?

13 (a) I somras reste Alexander och Eva till Grekland.

b I sommar reste Alexander och Eva till Grekland.

c På sommar reste Alexander och Eva till Grekland.

14 (a) De ska renovera huset där vi bor.

b De ska renovera huset som vi bor.

c De ska renovera huset var vi bor.

15 a Peter och sin sambo ska flytta till Luleå.

(b) Peter och hans sambo ska flytta till Luleå.

c Peter och hennes sambo ska flytta till Luleå.

16 a Adam tycker om äta glass.

b Adam tycker om att äter glass.

c Adam tycker om att äta glass.

17 (a) Har du sett deras fina hus?

b Har du sett deras fint hus?

c Har du sett deras fina huset?

18 a Vilket fina hus ni har!

(b) Vilket fint hus ni har!

c Vilket fint huset ni har!

19 a Mikael undrar om hur de mår.

b Mikael undrar att hur de mår.

c Mikael undrar hur de mår.

20 a Lily är intresserad i musik.

(b) Lily är intresserad av musik.

c Lily är intresserad om musik.

21 (a) Hur mycket kostar de här bullarna?

b Hur mycket kostar den här bullarna?

c Hur mycket kostar de här bullar?

22 a Anna är lika lång än Mats.

b Anna är lika lång som Mats.

c Anna är lika långa som Mats.

23 a Linda duschar innan hon äter frukost.

b Linda duschar när hon äter frukost.

c Linda duschar medan hon äter frukost.

24 a Farmor är sjuk. Jag måste ringa honom.

b Farmor är sjuk. Jag måste ringa sig.

c Farmor är sjuk. Jag måste ringa henne.

25 a Maria brukar spela squash på måndagar.

b Maria brukar spela squash på måndag.

c Maria brukar spela squash i måndags.

26 a Claes har många katterna.

   b Claes har många katten.

   c Claes har många katter.

27 a Tycker du att filmen som vi såg
      igår var bra?

   b Tänker du att filmen som vi såg
      igår var bra?

   c Tror du att filmen som vi såg
      igår var bra?

28 a I somras har vi varit i Portugal.

   b I somras är vi i Portugal.

   c I somras var vi i Portugal.

29 a Miranda behöver köper en
      ny dator.

   b Miranda behöver att köpa en
      ny dator.

   c Miranda behöver köpa en
      ny dator.

30 a Mattan står under soffbordet.

   b Mattan ligger under soffbordet.

   c Mattan hänger under soffbordet.

31 a Igår som jag åt frukost ringde
      min kusin från Filippinerna.

   b Igår när jag åt frukost ringde
      min kusin från Filippinerna.

   c Igår där jag åt frukost ringde
      min kusin från Filippinerna.

32 a Gustavs söner ser trevliga ut.

   b Gustavs söner ser trevlig ut.

   c Gustavs söner ser trevligt ut.

33 a Sofis liten hund är sjuk.

   b Sofis lilla hund är sjuk.

   c Sofis lilla hunden är sjuk.

34 – Är Anneli och Sture gifta?

   a – Ja, de är de.

   b – Ja, det är de.

   c – Ja, det är det.